Louis Jérôme Doise

août 2004
Chambord

FRANÇOIS Ier

LE ROI-CHEVALIER

FRANÇOIS Ier

LE ROI-CHEVALIER

Sylvie Le Clech

Conservateur du Patrimoine

Tallandier
Historia

REMERCIEMENTS

SYLVIE LE CLECH est historienne, conservateur du Patrimoine. Ancienne élève de l'École nationale des chartes, elle est actuellement directeur des Archives départementales de l'Essonne et conservateur des antiquités et objets d'art de l'Essonne. Elle est spécialiste de la Renaissance française. Ses recherches ont porté sur le milieu des notaires et secrétaires de la chancellerie de France. Son ouvrage *Chancellerie et culture au XVIe siècle : les notaires et secrétaires du roi de 1515 à 1547* (avant-propos d'Arlette Jouanna, préface d'Ivan Cloulas) étudie l'évolution culturelle de ce groupe d'officiers très proches du roi, qui les chargeait de la rédaction des actes royaux et de missions diplomatiques.

Direction éditoriale : Éric Thiébaud, assisté de Marie-Amélie Beri,
Pauline de Ayala, Sylvie Bonnet, Rupert Hasterok
et Michèle Joordevant.
Conception graphique et réalisation : ELSE
Lecture correction : Belle Page
Photogravure : Goustard Clamart

Dans la mémoire nationale, François Ier occupe la place du vainqueur de Marignan, le « noble roy Françoys ». Cette grande figure sympathique ne s'incarne pourtant pas toute entière dans le rôle du chevalier impétueux, emporté par la *furia francese*, pour sa plus grande gloire à Marignan, pour son plus grand malheur, dix ans plus tard, à Pavie. Il fut, avant son avènement, François d'Angoulême, jeune homme sans expérience, cadet de la dynastie régnante des Valois. Un « gros garçon qui gastera tout », disait de lui son prédécesseur et parent Louis XII. Il fut, par son mariage avec la fille de Louis XII, « Monsieur François qui est tout françois », celui qui éloignait le spectre d'un morcellement du royaume au profit des Habsbourg. Il fut, dans les années de sa maturité, le « grand roy Françoys », le bâtisseur qui fit passer la France du Moyen Âge à l'époque « moderne ».

De 1515 à 1547, son règne de trente-deux ans ne tint pas toutes ses promesses. François conserva les acquis de ses prédécesseurs : la Picardie, la Bourgogne, une partie de la Navarre. Il conclut avec les cantons suisses et les Turcs deux alliances durables, que maintiendraient ses successeurs. Mais il ne put continuer le rêve italien, entrevu depuis la descente de Charles VIII sur Naples, en 1494. François affrontait en Europe deux redoutables compères, Henri VIII d'Angleterre et l'empereur et roi d'Espagne Charles Quint. Contre ses adversaires, le roi ne négligea rien. Même après sa terrible défaite et sa capture à Pavie (1525), il poursuivit manœuvres et expéditions, donnant à son règne l'allure d'une guerre perpétuelle. Malgré son entêtement, il dut à la fin se rendre à l'évidence : l'Italie n'était pas pour les Français.

Le roi de France était, en théorie, au-dessus des lois. Il devait, en revanche, tenir compte de limites que surent lui rappeler ses cours de justice, les parlements. François développa l'administration, donna du relief à son Conseil, y associant ses proches à de véritables professionnels. Têtu, impétueux, jaloux de son pouvoir, il remit au pas le parlement de Paris, châtia des officiers de finances indélicats. Habile et beau parleur, il impressionna et sut tenir la grande noblesse. Jamais négligée, proche du roi dans les réjouissances de la Cour, au Conseil, à la chasse, elle dut partager son strapontin avec les gens de robe.

Mais la main de François Ier, si ferme fut-elle, ne put éviter l'éclosion de forces centrifuges. Des coteries aristocratiques se firent jour à la fin du règne. Fait plus grave, la pression fiscale, alliée à une politique autoritaire, suscita le mécontentement des peuples. Les Français passaient, aux yeux des observateurs étrangers, pour des sujets soumis. Les révoltes des Lyonnais, des imprimeurs, des contribuables de la gabelle, démontrèrent le contraire. Enfin, les aspirations spirituelles des contemporains de François trouvèrent, inexorablement, leur expression dans la Réforme protestante. Le roi souhaita, en vain, la concorde religieuse. La France connaîtrait, après lui, les affres des « guerres de religion ».

Demeure la culture, point fort du bilan royal. François, fut, autant par goût que par intelligence politique, un mécène et un collectionneur. Musiciens, poètes chansonniers, gardes de la Bibliothèque du roi, « lecteurs royaux » du futur collège de France, artistes des grands chantiers royaux, tous bénéficièrent de sa protection et de ses encouragements. Retenant le meilleur du « rêve italien » et de l'héritage, le « grand roy » fit entrer la France dans les fastes de la Renaissance.

SYLVIE LE CLECH

SOMMAIRE

CHAPITRE 6   LE TEMPS DE LA MATURITÉ 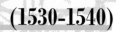 (1530-1540)

CHAPITRE 7   LA FIN DU « BEAU XVIᵉ SIÈCLE » (1540-1547)

FEMMES AIMÉES, FEMMES AIMANTES

Mère et sœur, épouses et maîtresses... François Ier grandit, règne et meurt dans la compagnie des femmes. Elles lui offrent leur affection, il n'en fera pas toujours de même. Si galant soit-il, le roi sait faire la part du souverain et de l'homme privé.

MARGUERITE D'ANGOULÊME (1492-1549)

L'amie et l'inspiratrice.
Duchesse d'Angoulême puis reine de Navarre, la sœur de François est une femme de séduction et de lettres. Elle joue auprès de son frère le rôle d'une conseillère littéraire et spirituelle.

LOUISE DE SAVOIE (1476-1531)

La mère dévouée.
Veuve éternelle à dix-neuf ans, la mère de François consacre sa vie à l'élévation et à la gloire de son « César ». Cette forte femme démontre à plusieurs reprises ses qualités de gouvernante et de négociatrice.

FRANÇOISE DE FOIX (1495-1537)

La comtesse de Châteaubriant.
La dame de cœur de François au début du règne doit s'effacer en 1528 devant Anne de Pisseleu, mais demeure l'amie et la correspondante du roi.

CLAUDE DE FRANCE (1499-1524)

La « bonne reine ».
La fille de Louis XII ne brille guère au côté de François, qu'elle a épousé en 1514. Sa douceur, sa constance à assurer la descendance du roi savent toucher son époux et ses sujets.

ANNE DE PISSELEU (1508-1580)

La duchesse d'Étampes.
Favorite après 1528, elle s'essaie aux intrigues politiques, sans les résultats escomptés, car son amant distingue les affaires du cœur et celles de l'État.

ÉLÉONORE DE HABSBOURG (1498-1558)

La sœur de l'ennemi.
Mariée à François en 1530, elle demeurera une figure étrangère à la Cour, le symbole d'une réconciliation éphémère entre son frère Charles Quint et le roi. Elle aime François, qui ne lui porte guère d'affection.

LES HOMMES DE 1515

1515 : année de l'avènement et de Marignan. Les acteurs de ce moment de grâce ne sont pas des têtes nouvelles. Ils ont servi Louis XII. Leurs services font le succès du nouveau règne. Leur mort ou leur infidélité contribuent aux déconvenues à venir.

ANTOINE DUPRAT (1464-1535)
Le chancelier.
Ce juriste expérimenté seconde le roi dans les affaires politiques et diplomatiques, de l'avènement à sa mort. Ses talents feront défaut à la fin du règne.

CHARLES DE BOURBON (1490-1527)
Le connétable.
François ne sait pas s'attacher ce grand capitaine et puissant féodal, qui fait défection en 1523.

PIERRE DE BAYARD (1473-1524)
Le chevalier.
Vétéran des règnes précédents, il est l'un des héros de Marignan. Modèle de la chevalerie française, il trouve une mort glorieuse durant les guerres d'Italie.

LES FIDÈLES

François accorde une place importante aux intimes de sa « petite bande », qu'il nomme aux hautes charges de l'État et de la Cour.

LES LETTRÉS

Ami des poètes et des humanistes, François fait du royaume la « patrie des lettres ». Son règne illustre la renaissance de la culture française au XVIᵉ siècle.

GUILLAUME DE BONNIVET (?-1525)
L'amiral de France.
Ami d'enfance du roi, l'amiral de Bonnivet est bon favori, mais piètre général. Il disparaît à Pavie.

CLAUDE D'ANNEBAULT (?-1552)
Le dernier favori.
Il sert un roi vieilli dans un contexte de revers, d'intrigues et de lassitude des peuples.

GUILLAUME BUDÉ (1468-1551)
L'humaniste.
Cet helléniste savant, secrétaire et bibliothécaire du roi, favorise la création du collège des lecteurs royaux.

FRANÇOIS RABELAIS (vers 1494-1553)
Un « gai savant ».
Médecin et lettré, l'auteur truculent de *Pantagruel* et de *Gargantua* est, tout comme son siècle, à la fois insolent et assoiffé de savoir.

ANNE DE MONTMORENCY (1493-1567)
L'ami d'enfance.
Issu de la haute aristocratie, ce vieux compagnon du roi devient grand maître et connétable de France. Il domine le Conseil de 1536 à 1541.

CLÉMENT MAROT, (vers 1495-1544)
Le poète.
La faveur royale ne lui épargne pas l'exil pour cause d'hérésie.

LES ADVERSAIRES ET LES ALLIÉS

Le règne de François, commencé par une bataille, se poursuit dans la guerre perpétuelle.
Les rêves et les appétits du roi y ont leur part, mais tout autant les ambitions
de ses redoutables contemporains et voisins.

MAXIMILIEN Ier (1459-1519)

Le vieil ennemi.

L'empereur germanique a fondé la puissance européenne des Habsbourg, un péril majeur aux yeux du roi.

HENRI VIII (1491-1547)

Ami ou ennemi ?

Tour à tour allié et opposé à François, Henri VIII change de camp selon ses intérêts. Il ne profite guère, cependant, de ces nombreux revirements.

SOLIMAN LE MAGNIFIQUE (1495-1566)

Le Turc.

Le sultan ottoman, brillant conquérant et administrateur, inaugure l'alliance de la France et de la Turquie.

CHARLES QUINT (1500-1558)

L'Empereur.

Maître de l'Espagne, de l'Allemagne et des Amériques, Charles est l'ennemi absolu de François. Les manœuvres et les guerres des deux hommes règlent le déroulement de la politique européenne.

LES PAPES, ARBITRES DE L'EUROPE ?

Chefs spirituels de la chrétienté, les papes du XVIe siècle trouvent
naturellement leur place sur l'échiquier européen. Ils voudraient en
être les arbitres, mais n'en seront que les acteurs.

LÉON X (1475-1521)

Jean de Médicis.

Pape en 1513, il doit, après Marignan, s'accorder un temps avec des Français qu'il n'aime guère. Il fixe les rapports de la monarchie française et du Saint-Siège.

CLÉMENT VII (1478-1534)

Jules de Médicis.

Pape en 1523, il paie cher son alliance avec la France. En 1527, le sac de Rome par les Impériaux porte un coup terrible à la papauté.

PAUL III (1468-1549)

Alexandre Farnèse.

Pape en 1534, il tente d'accorder François Ier et Charles Quint à Nice (1538). Il lance la Réforme catholique en convoquant le concile de Trente en 1545.

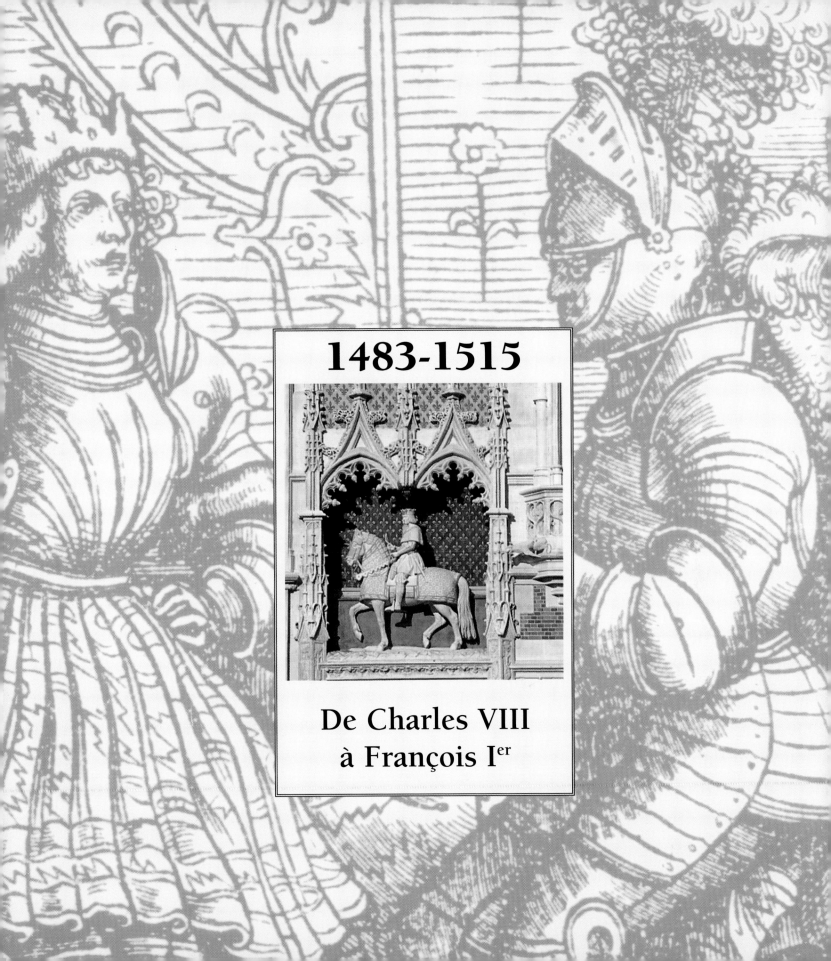

1483-1515

De Charles VIII
à François Ier

Charles VIII

Naissance : 30 juin 1470, à Amboise. Fils de Louis XI et de Charlotte de Savoie.

Titres : roi le 30 août 1483. Sacré à Reims le 14 mai 1484 *(ci-dessus, son portrait, au château de Versailles)*.

Mort : 7 avril 1498, à Amboise.

Mariage : le 6 décembre 1491, à Langeais, avec Anne, duchesse de Bretagne (1477-1514).

Postérité : quatre enfants morts jeunes, dont Charles-Orland (1492-1495).

◄ *Les États généraux de Tours (1484). Charles VIII y affirme ses qualités politiques, face aux représentants de la nation. (Versailles, musée du Château)*

DEUX RÈGNES PRÉCURSEURS

Lorsque François Ier monte sur le trône, le 1er janvier 1515, le royaume ressemble peu à celui que laissait Louis XI à sa mort, en 1483. Entre la France féodale du XVe siècle et la France moderne du XVIe siècle, les règnes de Charles VIII (1483-1498) et de Louis XII (1498-1515) ont joué le rôle d'une transition. Les rois de France sont parvenus à affirmer leur autorité à l'intérieur. Mais un nouveau péril a surgi à l'extérieur, avec l'immense empire de la famille de Habsbourg.

L'AUTORITÉ ROYALE

En août 1483, Charles VIII succède à son père, l'autoritaire Louis XI. Il est âgé de 13 ans. Avant sa mort, Louis XI avait confié la régence à sa fille aînée et à son gendre, Anne et Pierre de Beaujeu. Celle-ci, dotée d'un grand sens politique, aide le jeune roi à apaiser les troubles qui agitent les premiers temps de son règne et à asseoir son autorité.

L'assemblée des représentants des trois ordres (noblesse, clergé et tiers état) est réunie à Tours, en 1484, pour présenter au roi les sujets de mécontentement des Français. Qualifiée pour la première fois d'« États généraux », elle exprime un sentiment d'union nationale. Charles, soucieux de trancher avec le despotisme de son père, n'hésite pas à faire des promesses, qu'il se dispensera de tenir, et sort grandi de cette première confrontation.

LA GUERRE FOLLE

L'agitation reprend en 1485, avec la révolte des grands seigneurs. Ceux-ci ont à leur tête un cousin de Charles VIII, le duc Louis d'Orléans. Louis XI l'a marié contre son gré à sa fille difforme, Jeanne de France. Décidé à répudier une femme inféconde et disgraciée, le duc d'Orléans s'allie à François II, duc de Bretagne, dont il espère devenir le gendre et l'héritier en épousant une de ses filles. Les deux hommes entraînent dans une révolte contre le roi plusieurs grands vassaux, les ducs de Lorraine, de Bretagne et de Bourbon, et le roi de Navarre. Le Parlement, l'Université et les villes restent fidèles au roi. Cette « guerre folle » s'achève en 1488, en pays breton, à la bataille de Saint-Aubin-du-Cormier. Le duc d'Orléans paie sa témérité de trois années d'emprisonnement. Quant au duc de Bretagne, il est contraint à un traité humiliant. Le roi s'arroge la prérogative d'approuver le mariage de ses filles, ses seules héritières en l'absence d'un enfant mâle.

▼ Le hérisson, emblème du roi Louis XII.
(Blois, musée du Château)

Le sacre de Louis XII. ▶
La cérémonie de Reims confère à la personne royale un caractère sacré. (Paris, musée national du Moyen Âge)

Louis XII

Naissance : 27 juin 1462, à Blois. Fils de Charles de Valois, duc d'Orléans (1391-1465), et de Marie de Clèves. Cousin de Charles VIII et de François Ier.
Titres : duc d'Orléans en 1465. Roi le 7 avril 1498. Sacré à Reims le 27 mai 1498.
Mort : 1er janvier 1515, à Paris.
Mariages : 1) 8 septembre 1476, à Montrichard, avec Jeanne de France (1464-1505), fille de Louis XI et de Charlotte de Savoie. Répudiée le 12 décembre 1498. Aucune postérité.
2) 8 janvier 1499, à Nantes, avec Anne, duchesse de Bretagne (1477-1514), veuve de Charles VIII.
3) 9 octobre 1514, à Abbeville, avec Marie d'Angleterre (1497-1534), fille d'Henri VII d'Angleterre et d'Élisabeth d'York. Remariée en 1515 à Charles Brandon, duc de Suffolk.
Postérité (d'Anne de Bretagne) : Claude de France (1499-1524), mariée en 1514 à François d'Angoulême (François Ier); François (1503, mort en bas âge) ; Renée de France (1510-1575), mariée en 1528 à Hercule II d'Este, duc de Ferrare; Anne (1512, mort peu après sa naissance).

Avantage dont Charles VIII saura user, en épousant Anne de Bretagne en 1491. Venu à bout de l'opposition intérieure, Charles VIII se consacre, à partir de 1494, aux guerres d'Italie. Il succombe à une commotion le 7 avril 1498, à Amboise. Sa tête avait donné dans le linteau d'une porte. Aucun de ses enfants ne lui a survécu. Louis d'Orléans, son turbulent cousin, accède au trône à l'âge de 36 ans.

LOUIS XII, PÈRE DU PEUPLE

Homme de séduction, à la réputation virile, Louis XII sait se faire aimer de ses sujets. En 1506, l'assemblée des notables, qu'il a réunie à Tours, le qualifie même de « Père du peuple ». Il se sépare de son épouse Jeanne de France et se remarie en 1499 avec Anne de Bretagne, veuve de Charles VIII. Malgré les résultats incertains de ses expéditions en Italie, il apparaît comme un grand roi, sans doute grâce à un entourage de conseillers brillants : le maréchal de Gié, grand homme de guerre et politique habile, le cardinal Georges d'Amboise, principal conseiller jusqu'en 1510, et Florimond Robertet, secrétaire chargé des finances royales. Ce dernier servira fidèlement François Ier pendant douze ans.

Mais le legs de Louis XII n'est pas seulement constitué d'hommes de valeur. En 1515, il laisse à son successeur François Ier une France pacifiée, mais dont la structure est encore médiévale. Les rois de France se sont, en effet, attachés à réduire le poids des grands fiefs dans la vie politique du royaume. Ils ne l'ont pas, cependant, tout à fait aboli.

ANNEXIONS ET GRANDS FIEFS

Le roi de France est le possesseur direct du domaine royal. Il n'est, en revanche que le suzerain des grands fiefs, ensemble disparate de seigneuries, accordées par les souverains précé-

La question bretonne

Influencé par l'Angleterre, alors hostile à la France, le duc de Bretagne, François II, tente sans réel succès de se dégager de la tutelle du roi. À sa mort, sa fille aînée Anne (*ci-dessus, Écouen, musée de la Renaissance*) hérite du duché.

Âgée de 11 ans mais déjà très indépendante, elle se marie par procuration en 1490 avec l'empereur Maximilien, sans demander le consentement du roi, comme elle y est obligée depuis la fin de la « guerre folle ». Charles VIII occupe alors la Bretagne et contraint la jeune duchesse à l'épouser en 1491. Le mariage ne se traduit pas cependant par une annexion du duché.

L'accord de 1491 est un contrat d'union personnelle, qui conserve ses libertés à la Bretagne. Il en va de même en 1499, lors du remariage d'Anne avec Louis XII, et en 1514, lors du mariage de leur fille aînée, Claude, avec le futur François Ier.

◄ *Maximilien de Habsbourg et sa famille. L'Empereur fait face à son fils Philippe le Beau et à Jeanne la Folle. Au centre, le futur Charles Quint. (Vienne, Kunsthistorisches Museum)*

dents à leur famille ou à leurs serviteurs. Il ne s'agit pas de domaines indépendants : leurs seigneurs, vassaux du roi, lui doivent fidélité et obéissance. Il a fallu, au XVe siècle, soumettre les grandes familles à qui appartiennent ces fiefs.

De Louis XI à Louis XII, les rois sont allés plus loin, en intégrant ou en rapprochant ces provinces du domaine royal. Ainsi Louis XI a-t-il rattaché de nombreuses provinces au domaine : le duché de Bourgogne, la Picardie, la Provence, l'Anjou et le Maine. Le mariage de Charles VIII et d'Anne de Bretagne a rapproché ce duché des possessions royales, même s'il n'y est pas inclus. Enfin, le centre du royaume est entre les mains de la famille de Bourbon, apparentée à la dynastie régnante.

D'autres grands fiefs, pourtant, font de leurs possesseurs des égaux du souverain et constituent des menaces sérieuses pour le pouvoir royal. On l'a vu avec Louis d'Orléans en 1485. C'est également le cas des domaines de la famille d'Albret, qui s'étendent de la Basse-Navarre et du Béarn jusqu'au Périgord et au Limousin.

LA « FRANCE ÉTRANGÈRE »

Prudemment, Louis XII s'attache à consolider les frontières, sans conserver à tout prix les conquêtes de Louis XI. En 1493, il rend la Franche-Comté (ou comté de Bourgogne) et l'Artois au Saint Empire romain germanique, ainsi que le Roussillon au roi d'Aragon. Difficile cependant de former un territoire homogène, puisque, à l'intérieur même du domaine royal, existent des enclaves étrangères : Calais appartient à l'Angleterre, le Comtat Venaissin (Avignon), au pape, Orange, à des princes souverains. Le Béarn et la Basse-Navarre sont indépendants. À l'est, la Lorraine est un duché souverain, même si le duc rend hommage au roi de France pour le Barrois. Enfin, l'Alsace est intégrée au Saint Empire romain germanique : elle est composée de diverses villes libres et territoires, dont les plus importants appartiennent à la famille de Habsbourg.

LE PÉRIL HABSBOURG

La menace majeure vient de Maximilien de Habsbourg. Possessionné en Allemagne et en Autriche, il est depuis 1493 le souverain élu du Saint Empire romain germanique, dont les frontières dépassent celles de l'Allemagne actuelle. Maximilien a épousé en 1477 Marie de Bourgogne, fille du redoutable Charles le Téméraire, qui s'était longtemps opposé à Louis XI. La guerre entre ce dernier et Maximilien aboutit en 1482 au traité d'Arras : Louis XI intègre le duché de Bourgogne et la Picardie au domaine royal ; Maximilien conservera les autres possessions de sa femme, dont les riches provinces des Pays-Bas. Maximilien constitue un danger très sérieux. Certes, le traité de Senlis (1493), qui lui rend définitivement l'Artois et la Franche-Comté, met fin à son conflit avec la France. Mais il marie en 1496 son fils Philippe le Beau avec l'héritière de Castille et d'Aragon, Jeanne la Folle. Les destins du Saint Empire et de l'Espagne sont désormais unis. La famille de Habsbourg, forte de ses immenses possessions, prend désormais la France en étau.

1492 - Christophe Colomb
découvre l'Amérique

Christophe Colomb.
Le découvreur de l'Amérique pensait avoir atteint les Indes orientales. (New York, Metropolitan Museum of Art)

Le 12 octobre 1492, les vaisseaux espagnols de Christophe Colomb atteignent les Bahamas, première étape de la découverte et de la conquête du continent américain par les Européens.

Né à Gênes vers 1450, Colomb est un marin expérimenté, influencé par les théories de Toscanelli, qui supposent la rotondité de la Terre. Il pense atteindre les Indes par l'ouest, en traversant la mer « océane », au lieu de la route orientale qui contourne l'Afrique et traverse l'océan Indien. N'ayant pu intéresser le roi du Portugal à son projet, Colomb gagne l'Espagne où il finit, au bout de huit ans, par convaincre la reine Isabelle de Castille. Les caravelles *Santa Maria*, *Niña* et *Pinta* quittent le port de Palos le 3 août 1492. En octobre, Colomb atteint une île des Bahamas,

qu'il prend pour un archipel indien et qu'il baptise San Salvador. Il découvre ensuite Cuba et Saint-Domingue. Les cales remplies d'oiseaux, de plantes, de bois sculptés, d'or et d'indigènes, il regagne l'Espagne le 4 mars 1493. Au cours de trois autres voyages (1493-1504) Colomb découvre les petites Antilles et proclame possessions espagnoles la Guadeloupe, la Jamaïque et Porto Rico. Il aperçoit en 1498 les côtes du continent américain. Disgracié en 1500, il est renvoyé en Europe fers aux pieds, et meurt ruiné en 1506.

Caravelles espagnoles.
Ces vaisseaux robustes et légers sont l'instrument des grandes découvertes. (Madrid, Museo de America)

Voir le monde à la Renaissance

Les grandes découvertes du XVIᵉ siècle, inaugurées par le voyage de Colomb en 1492, entraînent une rupture avec la vision antique du monde, fixée au IIᵉ siècle par le géographe grec Ptolémée. De nouveaux mondes s'ajoutent à l'ancien, modifiant profondément le regard et les conceptions des hommes de la Renaissance.

AMERIGO VESPUCCI (1454-1512). Ce navigateur florentin effectue pour le compte du Portugal des voyages retentissants. En 1501-1502, il cartographie la côte du Brésil et démontre que Christophe Colomb n'a pas atteint les Indes, mais un nouveau continent. Le géographe vosgeois Waldseemuller lui donnera en 1507 son nom : « Amérique ». (Paris, B.N.F.)

LES INSTRUMENTS DE NAVIGATION. La navigation astronomique, mise à l'honneur par Henri le Navigateur au XVᵉ siècle, permet de s'éloigner des côtes, en mesurant l'angle des astres avec l'horizon, à l'aide d'instruments comme l'astrolabe ou la balestille.

LES CARTES DU MONDE. Les connaissances nouvelles sont reportées sur des globes (ci-contre, Écouen, musée de la Renaissance) et sur des planisphères, comme celui de Nicola Caverio. (ci-dessous, Paris, B.N.F.)

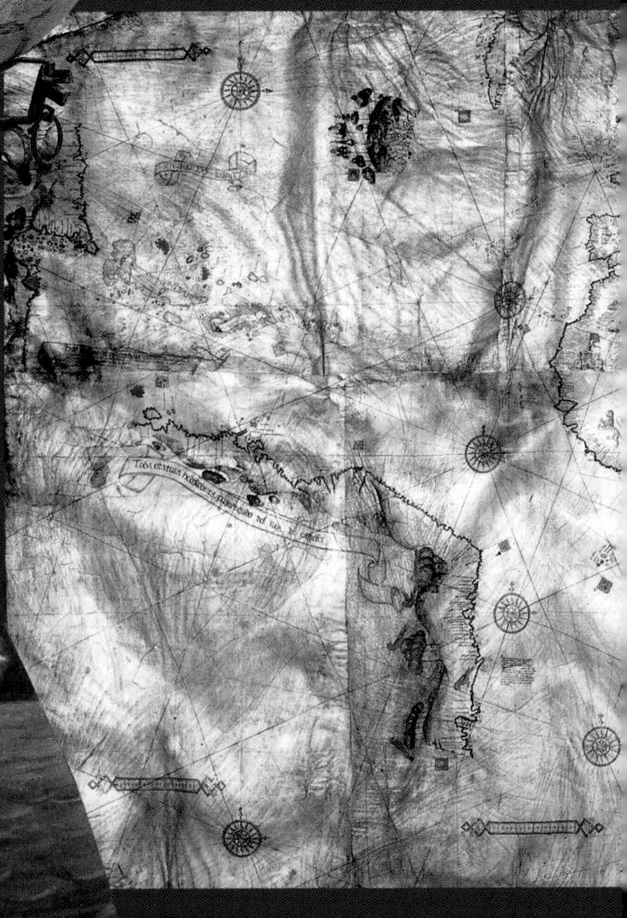

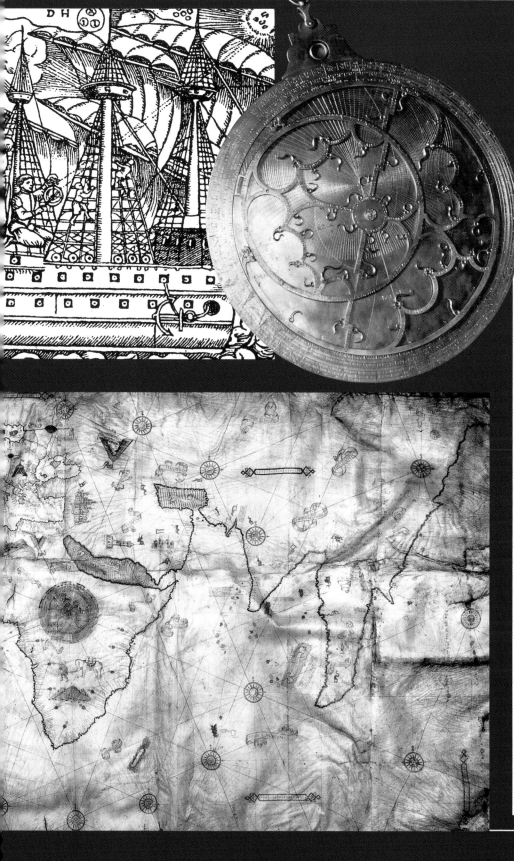

ASTROLABE. *Cet instrument en forme de disque permet aux navigateurs de connaître leur position. La face graduée donne l'altitude d'un astre, grâce à une règle pivotante, l'alidade. L'autre face donne la position d'un point du ciel par rapport à l'observateur. (Cracovie, Collegium Maius)*

LE PARTAGE DU MONDE.
Dès le xvᵉ siècle, le Portugal s'est lancé à la conquête de nouvelles terres, sous l'impulsion de l'infant Henri le Navigateur (*ci-dessus, Lisbonne, musée national des Arts anciens*). Il est rejoint par l'Espagne en 1492, avec les découvertes de Colomb. Par le traité de Tordesillas (7 juin 1494), le pape Alexandre VI Borgia partage la possession des nouvelles terres entre les deux royaumes, selon un tracé qui passe 370 km à l'ouest des Açores : les Portugais recevront les terres situées à l'est de la ligne de démarcation (Afrique, Indes, mais aussi Brésil) ; les Espagnols, les découvertes faites à l'ouest (l'essentiel du continent américain).

▼ *Charles VIII entre à Naples (1495). Le roi de France effectue deux entrées dans sa nouvelle conquête, l'une modeste, l'autre triomphale.*
(New York, The Pierpont Morgan Library)

LES FRANÇAIS EN ITALIE

Les guerres menées en Italie par Charles VIII et Louis XII constituent un héritage essentiel de leur règne. Malgré des succès de courte durée et des échecs cuisants, les conquêtes italiennes sont des expéditions personnelles qui servent le prestige des souverains. Elles influenceront François Iᵉʳ dès le début de son règne.

LE CONTEXTE ITALIEN

À la fin du XVᵉ siècle, l'Italie est morcelée en une multitude d'États. Au nord-ouest, plusieurs principautés, dont le duché de Milan, gouverné par l'usurpateur Ludovic Sforza. Au nord-est, la république de Venise, une puissance maritime importante. Au centre, s'opposent des États rivaux et toujours en lutte, Sienne, Pise et la république de Florence, gouvernée par les Médicis. Plus au sud, le pape Alexandre VI Borgia tente d'imposer sa loi à des États disparates et indociles. Enfin, à l'extrême sud, la Sicile est la possession du roi Ferdinand II d'Aragon, tandis que son cousin Ferrante règne sur Naples. Chassée de Naples en 1442, la dynastie française des Angevins maintient ses revendications contre les Aragonais. En 1481, son dernier représentant, Charles, comte du Maine,

a légué ses droits au roi de France. Ces droits justifient l'intervention de Charles VIII en Italie. Ses ambitions dans la péninsule s'inscrivent dans une logique traditionnelle : la revendication d'un héritage féodal. Mais le roi a d'autres raisons, personnelles : féru d'italien, il est fasciné par ce pays au point d'avoir appris par cœur le plan de Rome, rapporté d'Italie par son précepteur, le cardinal de la Balve. Il se voit comme l'héritier de Charlemagne, dont l'immense empire avait eu Rome pour capitale symbolique. Enfin, les Français peuvent compter sur des soutiens en Italie, notamment ceux de la noblesse de Naples, qui supporte mal la domination espagnole, et de la population de Florence, qui souhaite chasser les Médicis.

LA CONQUÊTE DE NAPLES

La mort de Ferrante de Naples, en janvier 1494, fournit le prétexte de l'invasion française. L'expédition, préparée dans l'urgence, quitte Lyon dès juillet 1494. L'apport de mercenaires suisses et surtout la *furia francese* (les charges impétueuses et irrésistibles de la cavalerie), permettent aux Français d'avancer rapidement. À Florence, Charles VIII apporte

Jérôme Savonarole ▲
(1452-1498).
Ce prédicateur
florentin renverse
les Médicis et se
maintient au pouvoir
avec l'appui de
Charles VIII.
(Versailles, musée
du Château)

◀ *Ferdinand II*
d'Aragon (1452-
1516). Habile adver-
saire de Charles VIII
et de Louis XII,
il s'empare de Naples
en 1504. (Naples,
musée national de
San Martino)

son soutien au prédicateur dominicain Jérôme Savonarole, qui vient de renverser les Médicis. Le roi descend ensuite vers Rome, où il est accueilli par le pape Alexandre VI le 31 décembre 1494. Charles se montre affable et pieux. En vertu du pouvoir divin que lui confère son sacre, il guérit les écrouelles des malades. Il fait célébrer une messe grandiose, avant de quitter Rome, symboliquement, le jour de la saint Charlemagne, son patron et modèle.

LA DÉCEPTION DE NAPLES

Le 22 février 1495, le roi entre à Naples. Pour manifester ses intentions pacifiques, il chevauche un mulet et arbore une mise simple – éperons de bois, toque noire. Le 12 mai, il effectue une seconde entrée, solennelle, sous les acclamations du peuple, « vestu en habit impérial, d'un grand manteau d'escarlatte… et sur sa teste une riche couronne d'or à l'impérialle ». Mais l'expédition, financée par les banquiers italiens de Lyon, coûte cher : il faut payer les alliés, et les mercenaires suisses se mutinent, faute de solde. Le roi doit regagner rapidement la France, laissant à Naples un vice-roi. En quittant la ville, l'armée fait une razzia d'objets d'art,

emporte 1 140 volumes de la bibliothèque des rois aragonais et emmène des artistes et des ingénieurs tel le sculpteur Guido Mazzoni et l'inventeur Luca Vigeno.

La retraite de Charles est contrariée par ceux qu'inquiète la présence française en Italie : Ferdinand II d'Aragon, l'empereur Maximilien de Habsbourg, Milan, Venise et le pape Alexandre VI. Ils constituent une ligue, avec à la tête de ses troupes un remarquable chef de guerre, l'Espagnol Gonzalve de Cordoue, surnommé « le grand capitaine ». Les Français passent le barrage des alliés à Fornoue, le 6 juillet 1495, et regagnent la France à marches forcées, mais leur garnison est chassée de Naples par Gonzalve. La campagne de Charles VIII est cependant le premier acte d'une politique de dimension européenne. Elle fait aussi découvrir aux Français, tournés vers l'art bourguignon et flamand, certains traits de la Renaissance italienne, qu'ils ne tarderont pas à adopter.

◄ *Louis XII
à Alexandrie, dans
le duché de Milan
(1507).
Le roi s'apprête à
soumettre la ville de
Gênes, révoltée contre
l'occupation française.*
(Paris, B.N.F.)

Ludovic Sforza prisonnier

Défait à Novare par les Français (1500), le duc de Milan (*ci-dessus*, *Padoue, Librairie civique*) est trahi par ses mercenaires suisses. Ludovic tente de s'échapper, déguisé en hallebardier, mais il est découvert et livré à Louis XII. Il est alors emmené au château de Pierre-Encize, près de Lyon, puis transporté dans une cage en fer recouverte d'une enveloppe de bois à Loches, en Touraine, où il est gardé au secret. Il y meurt le 17 mai 1508, oublié de tous.

LOUIS XII ET MILAN

Louis XII, à son tour, se jette dans l'aventure italienne. Outre l'enjeu initial, le royaume de Naples, le roi prétend à l'investiture du duché de Milan. La famille de sa grand-mère, Valentine Visconti, en a été chassée par des usurpateurs, les Sforza, en 1450. En 1499, Ludovic Sforza règne en maître sur le duché. L'opinion publique française, échaudée par les échecs de Charles VIII, est réticente à une nouvelle campagne en Italie. Le roi défend sa décision : la conquête de Milan et de Naples, soutient-il, rapportera bien plus que ce qu'elle coûtera. Le pouvoir royal diffuse cette idée en faisant éditer des livrets de propagande par des imprimeurs comme Jean Marot, père du poète Clément Marot.

Louis XII a recruté des mercenaires suisses et s'est allié avec Venise, ennemie jurée de Milan. Il s'est assuré de la neutralité des États européens et de l'amitié du pape Alexandre VI, rallié par l'archevêque de Rouen, Georges d'Amboise. Il doit en revanche compter sur l'hostilité de l'empereur Maximilien, dont Ludovic Sforza est le vassal. La campagne militaire est rapide et Milan tombe aux mains de Louis en octobre 1499. Ludovic Sforza, qui a de son côté recruté ses propres mercenaires suisses, reprend la ville l'année suivante, mais il est battu et capturé à Novare, en avril 1500. Les Français occuperont Milan jusqu'en 1512.

DE MILAN À NAPLES

Encouragé par ce succès, Louis XII se lance dans la conquête de Naples. Les Français et les Espagnols s'allient et occupent conjointement le royaume en 1501. Mais les rapports se dégradent sur le terrain et tournent au conflit ouvert. Les Français, dépourvus de stratégie, perdent vite pied devant la cavalerie légère et l'artillerie espagnole, commandées par Gonzalve de Cordoue.

Les armées de Louis XII sont vaincues à Cérignoles, en avril 1503, mais parviennent, en novembre suivant, à faire retraite vers le nord, grâce à un chevalier à la bravoure légendaire, Pierre Bayard, qui retient l'ennemi au pont du Garigliano. L'année suivante, Louis XII doit abandonner Naples aux Espagnols, puis accepter les conditions de Maximilien : le roi

de France reçoit l'investiture du duché de Milan, mais sa fille Claude devra épouser le petit-fils de Maximilien, Charles de Habsbourg, lui apportant en dot la Bourgogne, la Bretagne et les possessions d'Italie. En 1505, Louis XII, dans un sursaut de lucidité, renie cette clause humiliante et se réconcilie avec Ferdinand d'Aragon qui, récemment veuf d'Isabelle de Castille, épouse sa nièce Catherine de Foix.

LA SAINTE LIGUE

Après la répression d'une révolte à Gênes, en 1507, Louis XII organise une nouvelle expédition en Italie. Le pape Jules II a réuni dans la ligue de Cambrai la France, le Saint Empire et l'Espagne, alliés contre Venise, dont l'expansion sur la terre ferme les inquiète. Le 14 mai 1509, la cavalerie française piétine l'infanterie vénitienne à Agnadel. Louis XII plaisante son ennemi François de Gonzague sur son absence : « Me semble que si vous n'estiez ung poultron comme vous estes, vous eussiez esté bienheureux de vous y trouver ». Venise soumise, Jules II trouve Louis XII encombrant. Le pape, qui considère les Français comme des Barbares, n'a de cesse de les chasser d'Italie. Le 4 octobre 1511, il rassemble contre

Louis XII une Sainte Ligue, regroupant le Saint Empire, l'Espagne, l'Angleterre, Venise et les Suisses. L'expulsion des Français prend le caractère sacré des croisades dirigées contre les Turcs. Louis XII ne s'y trompe pas et dit de Jules II : « Le Turc qu'il veut attaquer, c'est moi ». Le neveu du roi, l'impétueux Gaston de Foix, remporte de brillants succès à Brescia et à Bologne, mais il périt le 11 avril 1512 à Ravenne, après une dernière victoire. Les Français perdent Milan et, vaincus à Novare le 6 juin 1512, doivent quitter l'Italie.

LA PAIX

La Sainte Ligue poursuit son offensive. Les Impériaux et les Anglais écrasent les Français à Guinegatte, en Picardie, le 16 août 1513. La mort du pape Jules II, en mars de la même année, amène l'élection de Léon X, tout disposé à se réconcilier avec la France. En 1514, Louis XII conclut la paix avec Venise, les Suisses, l'Espagne et l'Angleterre. Après la mort de son épouse Anne de Bretagne, le roi concrétise son rapprochement avec ce dernier pays en épousant Marie d'York, sœur d'Henri VIII, garante d'une paix voulue par tous.

Gaillon : un air d'Italie

Les guerres d'Italie font découvrir la splendeur de la Renaissance italienne à des Français émerveillés, comme le cardinal Georges d'Amboise (1460–1510), principal conseiller de Louis XII. Dans son château de Gaillon, artistes français et italiens travaillent côte à côte, à la recherche d'un langage artistique original.

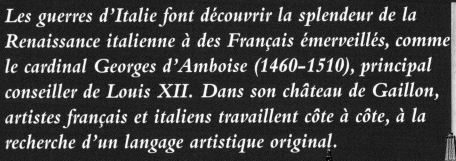

PAVILLON D'ENTRÉE DU CHÂTEAU DE GAILLON (EURE). Le château de la famille d'Amboise est la principale création du début de la Renaissance française. Son architecture est celle du gothique flamboyant, mais elle s'enrichit d'éléments décoratifs d'origine italienne.

FAÏENCE ITALIENNE. À la Renaissance, la majolique italienne, faïence décorée à grand feu, devient un produit de luxe. La prestigieuse production céramique de Florence et de Faenza est rapidement diffusée en France. (Paris, musée du Louvre)

SAINT GEORGES
TERRASSANT LE DRAGON.
Ce haut-relief du sculpteur
français Michel Colombe
(v. 1430-1512), créé vers
1508 pour la chapelle de
Gaillon, illustre la vigueur
du style français, marqué
par l'école bourguignonne
du xve siècle. (Paris, musée
du Louvre)

CHARTREUSE DE PAVIE.
Chef-d'œuvre de
la première Renaissance
lombarde, son décor
intérieur sert de modèle
aux sculpteurs de Gaillon
– médaillons à l'antique,
pilastres ornés...

TÊTE D'HOMME
CASQUÉ, PAR ANTOINE
JUSTE. Établis en
France en 1504,
les Betti, d'origine
toscane, prennent le
nom de Juste et
deviennent sculpteurs
du roi. À Gaillon,
Antoine Juste (1479-
1519) crée ce marbre,
ainsi qu'une série de
douze apôtres en
albâtre et un buste
du cardinal d'Amboise.
(Paris, musée du
Louvre)

PANNEAU EN BOIS AUX ARMES DE
GEORGES D'AMBOISE. La chapelle haute
de Gaillon, réservée au cardinal et à sa suite,
était décorée de magnifiques boiseries, où
alternent éléments gothiques et Renaissance.
(Écouen, musée de la Renaissance)

Le roi et les élites françaises.
Dans ce manuscrit offert à Louis XII, le cardinal d'Amboise s'est fait représenter à la suite du roi, au premier rang des courtisans.
(Pétrarque, Les Remèdes, Paris, B.N.F.)

DE NOUVELLES ÉLITES DANS UN NOUVEAU DÉCOR

La Renaissance française prend racine dans un contexte social et artistique nouveau. Les élites anciennes et récentes s'ouvrent volontiers aux influences italiennes et les adoptent pour créer un style moderne.

ÉLITES TRADITIONNELLES, ÉLITES NOUVELLES

Depuis la fin de la guerre de Cent Ans, les élites évoluent : beaucoup de familles bourgeoises accèdent à la noblesse. Leurs fortunes faites dans la marchandise ou la finance, ces véritables dynasties acquièrent des terres et des offices royaux et se rapprochent du pouvoir royal. Une active politique matrimoniale leur permet alors de s'allier à des familles nobles plus anciennes.

Parmi les exemples célèbres, le chancelier Duprat, qui vient d'une famille de banquiers d'Issoire. À Toulouse, les Assézat font fortune grâce au pastel et sont anoblis. À Tours, les Briçonnet, riches marchands de sel, parviennent à un rang élevé au service de Louis XI. Guillaume Ier, cardinal-évêque de Saint-Malo, est le principal conseiller de Charles VIII. Son frère Robert est chancelier de France, ses fils Guillaume II et Robert seront respectivement évêques de Meaux et de Saint-

Malo. Toujours urbaines, ces nouvelles familles se doivent de posséder des hôtels particuliers en ville et des châteaux à la campagne ; elles protègent les arts et les lettres tout en cultivant leur fortune. Beaucoup sont provinciales mais, depuis la fin de la guerre de Cent Ans, Paris leur offre aussi un cadre favorable, avec les palais du Louvre et des Tournelles, où la Cour, bien qu'elle y séjourne peu, a ses repères.

DU GOTHIQUE À LA MODE ITALIANISANTE

Le style gothique, avec ses gâbles, ses voûtes en ogive, et ses décors de feuillage, garde ses lettres de noblesse. C'est dans une manière encore simple, appelée « brique et pierre », qui rappelle les hôtels particuliers du XVe siècle, que Louis XII fait construire une aile du château de Blois à partir de 1498. Certaines cours provinciales mènent, elles aussi, à la fin du XVe siècle, une active politique de construction, dominée encore par le gothique flamboyant. Vers 1495, Anne et Pierre de Beaujeu font construire le château des ducs de Bourbon à Moulins. En Lorraine, le duc René et son fils Antoine, élevé à la cour de Louis XII, réaménagent leur palais de Nancy entre 1502 à 1512, s'inspirant des travaux de Blois.

La tapisserie de *La Dame à la Licorne*

Cette série de six tapisseries, conservée à Paris (musée de Cluny), est tissée à Bruxelles vers 1500 pour une famille de grands parlementaires parisiens, les Le Viste. Souvent vues comme une représentation de l'amour courtois, la Licorne et la jeune femme qui l'accompagne représentent aussi le Christ et la Vierge. Chaque élément est hautement symbolique : le cerf, qui protège contre les dangers de l'existence, la hyène, qui redonne la vue et donc la lucidité ; les roses blanches rappellent la virginité de Marie, et les rouges, sa charité ; les fruits, fleurs, et grenouilles sont des symboles de fertilité. Le Cloisters Museum de New York conserve une série de sept tentures sur la chasse, la mise à mort et la résurrection de la Licorne, récit symbolique de la Passion du Christ.

Peu à peu, les Italiens venus de Naples lors des expéditions d'Italie introduisent dans ce décor traditionnel des éléments nouveaux, médailles encastrées dans les murs ou colonnes. Leur influence se fait sentir dans les châteaux construits pour les membres des « nouvelles élites », comme à Gaillon, résidence du cardinal d'Amboise en Normandie, ou au Verger, la demeure angevine du maréchal de Gié. Le maître architecte Fra Giocondo, dont Charles VIII avait apprécié le talent à Naples, construit pour Florimond Robertet le château de Bury, près de Blois, première création accomplie de la Renaissance française. L'harmonie des jardins italiens a également conquis Charles VIII, qui ramène à Amboise le jardinier Pacello da Mercogliano.

DES DEMEURES CONFORTABLES

Les guerres du Moyen Âge achevées, on veut délivrer les demeures de leur aspect défensif. L'image du château fort, qui illustre le désir de s'agréger à la noblesse ancienne, ne reste que symboliquement présente : des tours élégantes, dont les créneaux sont purement décoratifs, des « ponts dormants », qui rappellent par leur forme les ponts-levis, des grandes fenêtres qui remplacent les meurtrières, des loggias à l'italienne qui allègent les façades. Gaillon et Bury sont les modèles de ces fausses forteresses (avant les grandes réalisations du XVIᵉ siècle, Chenonceau, Azay-le-Rideau ou Chambord). La pièce maîtresse de ces nouveaux manoirs est l'escalier central à pans coupés, richement orné, saillant au milieu de la façade.

Tissées dans les Flandres ou à Tours, les tapisseries sont des éléments essentiels du mobilier, contribuant au chauffage des demeures comme à leur décoration. Deux styles prédominent : les scènes de l'histoire antique et biblique, spécialité des ateliers de Tournai, et les scènes contemporaines, rustiques (tissage, tonte) ou nobles (chasse, concert), où les personnages évoluent sur un semis de fleurs ou de feuillages (le « mille-fleurs » ou *millefiori*).

1494-1515

De Cognac à Paris
Une jeunesse éclairée

Le château de Cognac ▶ (Charente). François naît dans cette demeure familiale des comtes d'Angoulême.

Le père de ▲ François Ier. Charles d'Angoulême meurt en 1496, alors que son fils est âgé de quinze mois. (Paris, B.N.F.)

UN ENTOURAGE FÉMININ

François de Valois, comte d'Angoulême, n'est pas appelé à monter sur le trône de France. Cousin du roi, il reçoit cependant l'éducation d'un gentilhomme et d'un pair du royaume. Mais ses premières années, passées dans un entourage féminin, entouré de l'affection de sa mère et de sa sœur, le marqueront profondément.

LES ORIGINES DE FRANÇOIS

Au moment où Charles VIII s'engage en Italie, naît à Cognac François d'Angoulême, le 12 septembre 1494. Le château des comtes d'Angoulême est une élégante bâtisse, aujourd'hui transformée en distillerie.

Le grand-père de François, Jean d'Angoulême, est le deuxième fils de Louis Ier d'Orléans et de Valentine Visconti, et le frère cadet de Charles d'Orléans, père de Louis XII. Les deux frères sont faits prisonniers par les Anglais à la bataille d'Azincourt, en 1415, et sont détenus trente-deux ans à la Tour de Londres. À son retour à Cognac, Jean fonde une magnifique bibliothèque, qu'il enrichit jusqu'à sa mort. Il rédige aussi un recueil de maximes inspirées de la sagesse antique, *Le Caton moralisateur* : on lira cet ouvrage à son petit-fils François, afin de

former son sens moral. Le fils de Jean, Charles d'Angoulême, est un seigneur turbulent. Il participe, avec son cousin Louis d'Orléans, à la « guerre folle » (1485-1488) contre Charles VIII et la régente Anne de Beaujeu.

Après l'échec de la révolte, tandis que Louis d'Orléans est emprisonné, Anne de Beaujeu dompte Charles en arrangeant son mariage avec sa nièce Louise de Savoie. Le promis a 38 ans, la jeune promise 12 à peine.

UN COUPLE ÉTRANGE

Charles d'Angoulême et sa femme forment un couple disparate. Louise, fille du duc Philippe Ier de Savoie et nièce de Louis XI, a fréquenté les cours brillantes de son père et des Beaujeu, à Moulins. Alors que l'humaniste Érasme proclame que « la femme est un animal inepte et ridicule », elle est cultivée, sait lire, écrire, raisonner. Louise est douée, comme sa tante Anne de Beaujeu – « la moins folle femme de France car de sages il n'y en a point » – d'une grande finesse pour les subtilités de la vie de cour, son caractère affirmé et volontaire lui permet d'affronter les vicissitudes d'une union politique. Charles d'Angoulême est un homme affable, bon vivant, féru

Le *Journal* de Louise

Louise de Savoie *(ci-dessus, Paris, B.N.F.)* rédige un *Journal* où elle se dépeint comme une mère sensible et passionnée.

« Le 3 août 1508, du temps du roy Louis XII, mon fils partit d'Amboise pour être homme de cour, et me laissa toute seule. (...) »

« Le mercredi 11 janvier 1514, je partis de Congnac pour aller a Angoulesme et aller coucher a Jarnac, et mon fils, demonstrant l'amour qu'il avoit a moy, voulut aller a pied et me tint bonne compaignie. »

des romans d'amour de l'Italien Boccace, et peu fidèle à sa jeune épouse. Bien qu'il n'appartienne qu'à une branche cadette de la famille régnante, le comte d'Angoulême entretient à Cognac une cour raffinée. Il fait découvrir les belles lettres à Louise et le couple fréquente les poètes en vogue, comme Jean et Octovien de Saint-Gelais.

Louise donne naissance à Marguerite le 11 avril 1492 et, deux ans plus tard, à François. Grâce à l'ouverture d'esprit, à la patience et à la persévérance de Louise, c'est dans une atmosphère familiale chaleureuse que les enfants sont élevés au côté de Jeanne, Madeleine et Souveraine, les filles bâtardes issues des amours adultères de Charles et de ses maîtresses Antoinette de Polignac et Jeanne Comte.

L'AVENIR DE FRANÇOIS ET DE MARGUERITE

La mort de Charles d'Angoulême, le 1er janvier 1496, bouleverse la vie de Louise et de ses enfants. Louise avait déjà souffert de n'être qu'une obscure monnaie d'échange dans un mariage arrangé. Elle prend conscience qu'une veuve ne compte que très peu socialement. La femme n'existe que mariée. Une veuve perd à peu près tout rôle social. Ses enfants seuls font sa force. Au cours du XVIe siècle, ce statut des femmes, éternelles mineures sous l'autorité des hommes, se dégrade peu à peu. Louise est dans une situation inconfortable, dont elle peut tirer force et prestige, ou au contraire souffrir si son cousin Louis d'Orléans décide de la mettre à l'écart. Elle est trop jeune pour obtenir la tutelle de ses enfants. Le duc d'Orléans (qui n'est pas encore le roi Louis XII) revendique alors la tutelle légale des enfants. Les deux parties parviennent à un accord : Louis sera le tuteur des enfants ; il approuvera toutes les grandes décisions les concernant. En revanche, c'est Louise qui assumera au quotidien l'éducation de François et de Marguerite, domaine dans lequel elle entend être totalement libre. L'arrangement vaut à une condition : Louise ne doit pas se remarier. La situation est pour le moins inhabituelle, alors que les partis avantageux ne manquent pas et que les époux veufs, à l'époque, contractent très fréquemment de secondes noces.

Le château de ▶ Romorantin (Loir-et-Cher). François y passe une partie de son enfance. Sa future femme, Claude, y est née en 1499.

LE SACRIFICE D'UNE MÈRE

À dix-neuf ans, Louise de Savoie fait donc vœu de chasteté. C'est un fait rare à une époque où la forte mortalité infantile incite les parents à avoir de nombreux enfants. Dans la haute noblesse surtout, la présence de garçons est la garantie d'une lignée assurée. En obéissant à son cousin, Louise fait un pari risqué. Consciente de ces enjeux, elle craint constamment que ses enfants ne meurent et veille sur eux avec une grande attention. Attitude peu commune à une époque où les parents, bien qu'attachés à leurs enfants, acceptent sans murmurer que Dieu les leur enlève. Elle garde en fait l'espoir que son fils montera un jour sur le trône.

LA TENDRESSE DE LOUISE

Le dévouement que Louise voue à Marguerite et à « son César », surnom qu'elle donne à François, est le témoignage d'une réelle affection alliée à une ambition politique.
Elle tremble à la moindre chute de cheval, à la moindre fièvre, avec raison, car l'incompétence des médecins de l'époque est sans borne. Par bonheur, François est une nature robuste.

C'est sans doute elle qui a choisi le prénom de son fils. A-t-elle voulu rendre hommage à l'ermite italien François de Paule, dont l'influence spirituelle a fortement marqué ses contemporains, y compris en France ? Ce prénom, que le jeune prince reçoit à son baptême, rappelle fortement qu'il est français et qu'il appartient à la maison royale de France.
Sa mère et sa sœur ont influencé toute la vie de François, sans pourtant altérer sa personnalité. Dévouées corps et âme au prince, elles mènent une vie austère, dévote et studieuse pour laquelle il a peu de goût, malgré l'éducation morale stricte qu'il a reçue de Louise.

UNE SŒUR D'EXCEPTION

On sait peu de choses sur l'enfance de Marguerite, compagne de jeux de François. Nul doute que les deux enfants, privés de père dès leur jeune âge, sont restés très proches, malgré les obligations qu'une éducation de gentilhomme

Le maréchal de Gié (1451-1513)

Pierre de Rohan, maréchal de France depuis 1475, s'illustre vaillamment dans les guerres menées en Flandre par Louis XI contre l'empereur Maximilien. Principal conseiller de Louis XII, l'entourage de Louise de Savoie l'accuse en 1504 d'avoir fomenté un complot. Détesté de la reine Anne, dont il craignait qu'elle ne se retire en Bretagne à la mort du roi et ne marie sa fille Claude à un prince étranger, le maréchal *(ci-dessus, Versailles, musée du Château)* est disgracié par Louis XII. Acquitté des charges de haute trahison qui pesaient contre lui, il perd son titre de maréchal.

imposait à François. Le frère et la sœur s'écrivent des poèmes, respectant soigneusement leurs rôles. Amateur insatiable de bonne chère et de femmes, le prince versifie sur le thème de l'amour profane, puis, pris de remords, implore la clémence de sa sœur aînée, qui le réprimande doucement et tente de le ramener sur la voie de l'amour divin.

LES GOUVERNEURS DU PRINCE

Mais Louise ne peut rester longtemps seule maîtresse de la vie quotidienne de ses deux enfants. En 1498, Louis d'Orléans monte sur le trône sous le nom de Louis XII. La petite famille doit quitter Cognac et suivre la cour dans ses différentes résidences du Val de Loire. François se lie avec des compagnons de son âge et échappe à l'influence de sa mère. En 1499, à six ans, il a déjà un précepteur, un aumônier et un écuyer, et le roi lui attribue le duché de Valois.

Louis XII impose en outre le choix du gouverneur de son pupille. Un grand personnage, Pierre de Rohan, maréchal de Gié, est chargé de sa sécurité, avec la compagnie d'archers de Roland de Ploret.

Les gens du roi s'immiscent dans la maison de Louise, qui entre en conflit avec eux. Elle exige même un temps de dormir dans la même chambre que François, les archers royaux restant devant la porte close. Louis XII en personne doit ordonner que le garçon couche dans une chambre à part. Louise refuse à Gié – sans toujours y parvenir – d'abandonner son pouvoir sur l'éducation de François. Si elle sait s'entendre avec le maréchal, notamment pour marier son fils avec la fille aînée du roi, Claude de France, cette mère jalouse contribuera à sa disgrâce en 1504.

Rabelais et la génération de 1494

François Ier est l'exact contemporain de Clément Marot et de François Rabelais, nés vers 1494. Ces deux génies littéraires produiront les œuvres majeures du règne et de la première Renaissance française, synthèse de l'héritage médiéval et des apports de l'humanisme et des influences italiennes.

FRANÇOIS RABELAIS (vers 1494-1553). Né vers 1494, il est successivement franciscain, bénédictin, médecin et professeur d'anatomie, avant de publier *Pantagruel* (1532) et *Gargantua* (1534). Héritier de la tradition médiévale des fabliaux, il peuple ses récits de géants et de monstres. En humaniste, il raille les abus de l'Église de son temps et se moque de l'inanité des débats scolastiques grâce à une excellente connaissance de ses sources érudites. Condamné par la Sorbonne, soupçonné de sympathies pour la Réforme, il échappe à la persécution en voyageant et grâce à des puissants protecteurs, dont le roi. Dans le *Tiers Livre* (1546), le *Quart Livre* (1548) et le *Cinquième Livre* (1564), l'invention verbale prodigieuse de Rabelais atteint son apogée. Nommé curé à Meudon en 1551, il meurt à Paris en 1553.

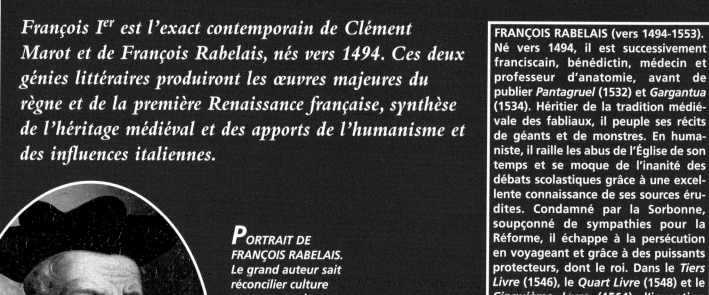

PORTRAIT DE FRANÇOIS RABELAIS. Le grand auteur sait réconcilier culture savante et culture populaire. (Versailles, musée du Château)

LA DEVINIÈRE (INDRE-ET-LOIRE). Fils d'un avocat de Chinon, Rabelais est né dans cette maison de la campagne angevine, appartenant à sa famille. Plusieurs épisodes de Gargantua et de Pantagruel y font allusion.

PAGE DE TITRE D'UNE ÉDITION LYONNAISE DU PANTAGRUEL DE 1535. *Le héros du premier roman de Rabelais, publié sous pseudonyme en 1532, doit son nom à un démon des Mystères médiévaux, qui a le pouvoir de donner soif aux hommes. Les beuveries, mais aussi la soif du savoir prennent en effet une place importante dans le livre. (Paris, B.N.F.)*

CONCERT CHAMPÊTRE SOUS FRANÇOIS Ier. *La galanterie et le goût des plaisirs sont une inspiration commune de Rabelais et de Marot. (Paris, musée Carnavalet)*

PORTRAIT PRÉSUMÉ DE CLÉMENT MAROT (vers 1495-1544). *Fils du poète Jean Marot, Clément est « valet de chambre » de François Ier, puis de sa sœur Marguerite, la future reine de Navarre. Il doit s'exiler à plusieurs reprises, accusé d'hérésie. Il renouvelle le langage poétique en imitant les poètes latins comme Catulle, Ovide et Virgile, sans savoir toutefois le latin classique. Créateur de nouveaux genres, il réédite aussi le Roman de la Rose et les œuvres de François Villon, dont il fait l'éloge. (Corneille de Lyon, Paris, musée du Louvre)*

L'Arioste ▶
(1474-1533).
Son Roland furieux,
*(1516), savoureux
roman d'aventures
chevaleresques, est très
apprécié au temps de
François Ier.*
*(Arras, Bibliothèque
de l'Abbaye de St Vaast)*

UN ESPRIT SAIN DANS UN CORPS SAIN

Un gentilhomme doit être aussi cultivé que robuste. L'éducation intellectuelle et morale de François est le domaine réservé de sa mère et de sa sœur. Mais les gouverneurs du jeune prince, dont la présence équilibre son entourage féminin, doivent faire de lui un chevalier accompli et éduquer son corps autant que son esprit.

UNE ÉDUCATION HUMANISTE

De nouveaux courants de pensée bouleversent la vie intellectuelle de l'Europe à la fin du Moyen Âge. En particulier l'humanisme, qui naît dans l'Italie du XVe siècle et que les Français découvrent progressivement, se fonde sur une approche nouvelle de la culture antique profane ou sacrée. Au même moment, le développement de l'imprimerie, mise au point vers 1450 par Gutenberg à Mayence, assure la diffusion rapide des connaissances et des idées nouvelles. La mode se répand alors des *studiolo*, ces cabinets de collectionneurs voués au objets d'art, de savoir et de curiosité. Le cabinet des Grelots, aménagé au château de Beauregard pour Jean Duthier, est un bel exemple du milieu du XVIe siècle. François dispose de la magnifique bibliothèque de son grand-père, Jean d'Angoulême, encore enrichie par son père, malgré une situation financière précaire. Amateur des lettres, il est aussi leur héritier spirituel. Son écriture, grande, claire et ferme, révèle l'homme instruit et lettré.

François a les meilleurs précepteurs, des humanistes proches des milieux parisiens de l'édition et de l'imprimerie, parmi lesquels Christophe de Longueil et le juriste Du Moulin, amis du célèbre helléniste Guillaume Budé. Sa mère, Louise de Savoie, veut donner à ses enfants une éducation plus poussée que celle des jeunes nobles de l'époque, tournée traditionnellement vers la guerre. Sa devise n'est-elle pas *Libris et Liberis*, « être libres par les livres » ?

MORALE ET RELIGION

Un gentilhomme est avant tout un bon chrétien qui doit connaître l'Histoire sainte. À la fin du XVe siècle, de nouveaux courants de dévotion se font jour : des Flandres vient une spiritualité tournée vers la Passion du Christ et le désir d'imiter Jésus dans la vie quotidienne ; d'Italie, l'idée que l'amour est d'abord l'amour de Dieu. Marguerite, la sœur de François, est vite influencée par ces courants de pensée. Sans

s'impliquer dans les subtiles querelles théologiques de l'époque, François se montrera sensible aux arguments de sa sœur, mais restera toujours fidèle aux grands sacrements de l'Église romaine traditionnelle qui rythment la vie des chrétiens.

Il fait de fréquents séjours au château d'Amboise, au logis des Sept Vertus, où Charles VIII a fait travailler les architectes italiens Fra Giocondo et Dominique de Cortone. Là, des statues représentent les vertus, dites fondamentales, que doit posséder tout gentilhomme et *a fortiori* un roi : la Foi, l'Espérance, la Charité, la Prudence, la Justice, la Tempérance, et surtout la Force que donne l'assurance de faire son devoir, de remplir les obligations de son rang.

L'OUVERTURE SUR LE MONDE

François apprend la géographie : un prince royal ne saurait ignorer le monde dans lequel il vit. Il parle couramment l'italien et l'espagnol. C'est une chose peu commune dans la haute noblesse de l'époque, car si les milieux cultivés se passionnent pour l'Italie depuis la fin du XVe siècle, ils comprennent rarement l'italien, les érudits européens écrivant et communiquant entre eux en latin. Rien d'étonnant donc

à ce que François lise couramment aussi le latin - sans qu'il y trouve, pourtant, un grand plaisir. C'est la langue de la liturgie et du droit ; à la différence du grec et de l'hébreu, elle n'a jamais cessé d'être utilisée depuis l'Antiquité et n'a pas besoin d'être « redécouverte ».

L'ENTRAÎNEMENT CHEVALERESQUE

La discipline du corps, l'entraînement physique, font partie de l'éducation traditionnelle des gentilshommes, et François pouvait trouver dans ses livres d'écolier les exemples qui vantaient les exploits au stade des jeunes Grecs et Romains de l'Antiquité. Ses gouverneurs successifs, choisis avec soin par Louis XII, s'acquittent d'autant mieux de cet aspect de son éducation que le jeune homme jouit d'un physique avantageux. Mesurant environ un mètre quatre-vingt-dix, si l'on

◄ François Ier à la chasse.
Le roi s'y adonne dès sa jeunesse, avec une prédilection pour la traque du cerf, gibier royal par excellence.
(Paris, B.N.F.)

▼ Le tournoi.
Ce sport violent, mais codifié, est pour François une occasion de s'entraîner à la guerre.
(Le Livre des Tournois de René d'Anjou, Paris, B.N.F.)

Un souvenir de Fleuranges

Robert de La Marck, seigneur de Fleuranges (1490-1537), dit le « Jeune Adventureux » devient très tôt le compagnon de François. Fleuranges décrit par la suite cette enfance princière dans ses *Mémoires*. Les deux garçons sont très complices, mais pointilleux sur les questions de rang, comme le prouve cette anecdote. Lors d'une visite de Louis XII à Amboise, s'étant tous deux rendus à la rencontre du roi, Fleuranges et François se chamaillent sur une question de préséance : leur litière n'ayant qu'une porte, lequel des deux aura l'honneur de descendre le premier ? Fleuranges ne le dit pas, et l'histoire s'achève par un somptueux souper que leur offre le roi.

se fie à la taille de ses armures, François passe pour un géant auprès des chroniqueurs. Traditionnellement, le roi est le premier gentilhomme du royaume. La noblesse ancienne, dite d'épée, qui a guerroyé avec le roi depuis des siècles, développe ses talents à la chasse, au tir à l'arc, au tournoi, à l'équitation, sports nobles par excellence. François affectionne surtout la chasse au cerf. Il s'amuse également aux jeux de balle italiens.

HÉROS ET CAMARADES

Les modèles de François sont tout d'abord tirés de l'Antiquité : il lit les *Vies des douze Césars* de l'écrivain latin Suétone, ou les *Vies des hommes illustres* du Grec Plutarque. C'est bien l'image du « héros » antique, dont les exploits fournissent autant d'exemples pour l'histoire nationale, qui a enthousiasmé les Français partis guerroyer en Italie lors des expéditions de Charles VIII. Mais, plus près dans le temps, la France elle-même a aussi ses héros, tels Charlemagne et Saint Louis.

Très tôt, quand Louis XII l'installe à Amboise, un entourage masculin se forme autour du jeune garçon de six ans. Il est constitué d'hommes mûrs, qui jouent le rôle d'initiateurs et d'amis, comme ses gouverneurs le maréchal de Gié, chargé d'initier François à l'art militaire, et Artus Gouffier, seigneur de Boisy, qui remplace Gié après sa disgrâce.

Ses camarades sont de jeunes aristocrates : Robert de La Marck, seigneur de Fleuranges, Philippe Chabot de Brion et Anne de Montmorency. Le jeune frère d'Artus Gouffier, Guillaume de Bonnivet, est un intime de François. C'est avec eux que le prince s'entraîne et joue à la balle. Il conservera avec eux des liens d'amitié, et les fera accéder aux grandes charges du royaume.

Cette jeunesse insouciante se passionne pour les exploits de ses aînés en Italie. Ses idoles sont les grands capitaines français du temps, Jacques de Nemours, Georges de La Trémoille et Gaston de Foix. Comme eux, François et ses camarades rêvent de s'illustrer sur les champs de bataille. Ils s'entraînent sur des modèles réduits d'artillerie et de bastions. François, pourtant, ne participe pas aux grandes expéditions de Louis XII et de ses généraux. En 1515, ce grand gaillard a peu d'expérience militaire. Mais son heure va bientôt sonner.

1508 - Michel-Ange peint la *Création*

Lorsque le pape Jules II, en 1508, demande à Michel-Ange d'orner la voûte d'une chapelle du Vatican, due à Sixte IV, l'artiste hésite à accepter la commande. Revenu depuis peu à Rome, il est absorbé par le travail sur le mausolée du même souverain pontife. Mais, soucieux de sa réputation, il finit par donner son accord. Il exige, toutefois, de mettre en œuvre non pas une série de fresques représentant les douze apôtres, mais des scènes à plusieurs personnages. Le plafond de la chapelle – un rectangle légèrement concave mesurant 40 m de long et 13 de large – présente un véritable défi. Pour exécuter les fresques, Michel-Ange travaille de longues années sur un échafaudage, la tête renversée et le bras levé. Il se fait aider par un seul artisan qui lui prépare les couleurs. Afin d'échapper aux regards des curieux, il interdit l'accès à la chapelle, y compris au pape. De cette épreuve, il sortira si épuisé que, pendant des mois, il ne pourra ni lire ni regarder des dessins. Mais le résultat est un chef-d'œuvre de la peinture qui allie le dessin linéaire et précis des artistes florentins à la monumentalité romaine.

Cinq sibylles et douze prophètes, qui représentent différentes figures de la prédiction et de l'inspiration, semblent soutenir la voûte. Encadrés de vingt adolescents nus, appuyés ou assis contre des corniches peintes en trompe l'œil, neuf épisodes de la Genèse mettent en scène l'histoire de l'humanité avant Moïse, dont *La Création d'Adam*.

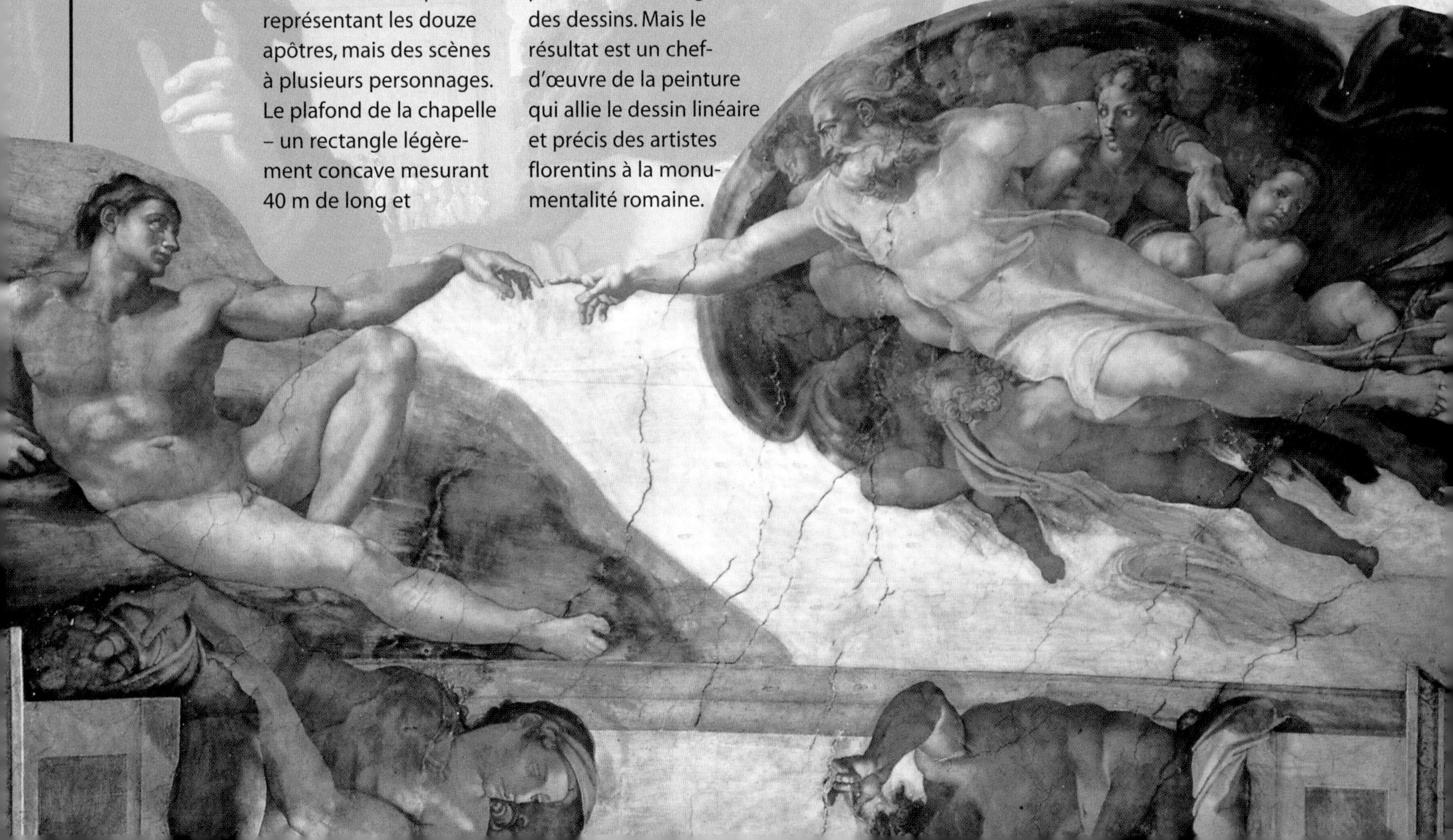

La Création d'Adam.
Par le seul contact de son doigt tendu, Dieu donne la vie au premier homme.
(Vatican, chapelle Sixtine)

Les premiers temps de l'imprimé

L'imprimerie, apparue en Europe avec Gutenberg, transforme radicalement la diffusion du savoir. Mais le livre tel que nous le connaissons ne prend forme que progressivement : au simple manuscrit imprimé s'ajoutent la page de titre, la marque du libraire ou de l'imprimeur, la pagination, des gravures...

ÉRASME (1469-1536). *Le grand humaniste était un auteur prolifique, mais traduisait et éditait également des manuscrits grecs et latins, en collaboration avec les éditeurs imprimeurs comme le Vénitien Alde Manuce. (Holbein dit le Jeune, Paris, musée du Louvre)*

LES ÉCHEVINS D'AMIENS PRÉSENTENT UN MANUSCRIT À LOUISE DE SAVOIE. *Les manuscrits, faits à la main par les copistes, continuent d'occuper une place importante sur le marché jusqu'aux toutes dernières années du xvᵉ siècle. (Paris, B.N.F.)*

ENLUMINURE D' UN INCUNABLE. *Les imprimeurs du xvᵉ siècle recourent encore aux enlumineurs, laissant en blanc les espaces à illustrer. Le peintre peut aussi travailler sur la gravure imprimée, comme dans cet exemplaire sur vélin de La Mer des histoires (Paris, Pierre le Rouge, 1488), destiné à Charles VIII. La gravure sur bois ou sur métal se généralisera au siècle suivant. (Paris, B.N.F.)*

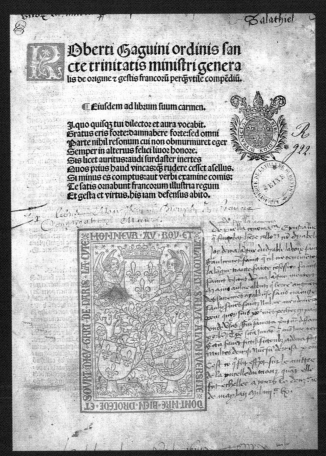

PAGE DE TITRE.
Rare dans les manuscrits, elle apparaît assez tôt dans les incunables français. En 1497, l'imprimeur lyonnais Trechsel a ainsi utilisé une lettre ornée et une vignette gravées sur bois en rouge pour la page d'ouverture du Compendium de origine et gestis francorum de Robert Gaguin. Véritable best-seller, cette chronique de la France de Clovis à Louis XII connaît vingt éditions au XVIe siècle. (Saint-Denis, Bibliothèque municipale)

PRESSE À IMPRIMER.
Les caractères, placés dans un cadre, sont encrés et mis dans le « chariot », auquel la manivelle donne un mouvement de va-et-vient grâce à une crémaillère. (Paris, B.N.F.)

MARQUE D'IMPRIMEUR.
Les initiales d'Antoine Lambillon et de Martin Sarrazin, imprimeurs lyonnais, indiquent la provenance de cette édition des tragédies de Sénèque, publiée en 1491. (Verdun, Bibliothèque municipale)

LES INCUNABLES

Ce terme, dérivé du latin incunabula (« langes » ou « berceau »), désigne, depuis le début du XIXe siècle, les livres imprimés jusqu'en 1500. La presse à imprimer, qui arrive à Paris en 1470, gagne rapidement Lyon et les autres villes du royaume. Elle donne d'abord lieu, selon son origine, à deux types distincts de productions. D'une part la littérature savante, bien représentée par les premiers imprimeurs parisiens, Guillaume Fichet et Jean Heynlin : soucieux de la correction et de l'élégance de leurs productions (auteurs anciens et italiens), ils s'adressent aux humanistes. D'autre part, des ouvrages au prix accessible : recueils de sermons, traités juridiques et médicaux, écoulés auprès d'un public de gens d'Église, de médecins et d'hommes de loi.

Claude de France (1499-1524)
Mariée à François dès l'âge de quinze ans, Claude hérita par sa mère du duché de Bretagne. Son époux lui donna aussi l'Anjou, le Maine, le comté de Beaufort et l'Angoumois, mais il ne l'aimait pas et les maîtresses royales se succédèrent. La reine eut pourtant quatre filles et trois garçons, parmi lesquels le futur Henri II. Boiteuse, effacée et vertueuse, le peuple lui portait une affection touchante et l'appelait « la bonne reine ». Une variété de prune, la reine-claude, porte son nom.

Le jeune François Ier. ▶
Successeur présomptif de Louis XII, François s'affirme au cours des années comme le futur roi de France.
(École de Clouet, Chantilly, musée Condé)

LE PROJET DYNASTIQUE

François d'Angoulême aurait pu mener la vie de ses père et grand-père, amis des lettres, régnant sur une cour provinciale, peu soucieux des affaires de l'État. Seuls un heureux concours de circonstances et la prudence d'un roi sans héritier le mènent au trône.

UNE SUCCESSION INCERTAINE

Plusieurs années après l'accession au trône de François d'Angoulême, Louise de Savoie et quelques proches du pouvoir, tel Guillaume Budé, ont voulu créer le mythe d'un jeune homme destiné à régner de toute éternité. Bien que propagée par des images symboliques destinées à frapper l'imagination des contemporains, cette idée est tout à fait fausse. Deux éléments favorables conduisent François au trône : l'absence d'un dauphin, pourtant désiré par Charles VIII et Louis XII ; la lucidité de ce dernier qui, les années passant, prend conscience de la nécessité de former un successeur au métier de roi et de l'entourer d'hommes sûrs. Cette concession est préférable au fait de laisser le royaume à un jeune cousin inconnu et inexpérimenté. C'est donc très progressivement que François a été désigné dauphin par Louis XII.

DES ROIS INFÉCONDS

La monarchie française obéit à la loi salique, qui repose sur le principe de la primogéniture masculine : seul le fils aîné du roi accède au trône. Une femme risquerait de mettre la couronne entre les mains d'un étranger, si son mari n'est pas français. Il est donc important pour les souverains d'avoir plusieurs garçons, au cas où l'aîné mourrait prématurément. Si le roi n'a pas de fils, le trône passe à la branche cadette de sa famille, par exemple au premier fils de son frère. Mais il faut parfois remonter plus loin dans l'arbre généalogique pour trouver l'héritier le plus proche.
Ni Charles VIII ni Louis XII n'ont conclu d'unions fécondes. Le premier est de faible constitution et les deux fils nés de son mariage avec Anne de Bretagne ne survivent pas. Préoccupé par ses expéditions italiennes, le roi s'absente de longs mois et néglige son épouse. De plus, il contracte en Italie la terrible syphilis, dite « mal de Naples », qui réduit considérablement ses chances de procréer.
Quant à Louis XII, il a épousé en 1476 la sœur aînée de Charles VIII, Jeanne de France. Dès son avènement, le roi cherche à divorcer. Après maintes démarches, le pape annule

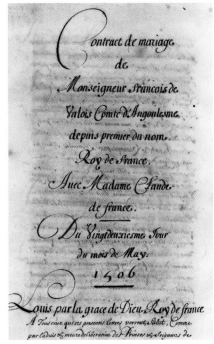

◄ *Les fiançailles de François et de Claude à Tours (1506). La reine Anne, représentée avec un sourire, s'oppose à cette union. (Paris, B.N.F.)*

Contrat de mariage de Claude de France (1506). Gendre du roi, François renforce son statut d'héritier du trône. (Paris, B.N.F.) ▼

le mariage le 17 décembre 1498. Trois semaines plus tard, le 8 janvier 1499, le roi s'unit à Anne de Bretagne, tenue par le traité de Laval (1491) d'épouser le successeur de Charles VIII si celui-ci mourrait sans héritier.

LES MAUVAISES FORTUNES DU COUPLE ROYAL

Tous les espoirs sont permis : Anne, qui n'a que vingt-deux ans, est en bonne santé et peut supporter plusieurs grossesses. Le 13 octobre 1499, à Romorantin, elle accouche d'une fille, Claude. Puis, onze années durant, c'est une succession de fausses couches et d'enfants mort-nés. La reine se place sous la protection de la Vierge et se fait représenter en prière, age-nouillée avec Louis XII, devant un tableau de l'Annoncia-tion à Marie. Par cet acte de piété, elle demande une inter-vention divine pour le royaume de France. Mais elle pense aussi à son duché, qu'elle voudrait transmettre à un fils cadet, afin de lui conserver son autonomie, comme le prévoit son contrat de mariage avec le roi.

Louise de Savoie, quant à elle, compte avec un cruel soula-gement les fausses couches et les enfants mort-nés de la reine. Son fils sera roi si Anne ne donne pas d'héritier à Louis XII.

En octobre 1510, Anne accouche à nouveau d'une fille, Renée. En 1512, au terme de sa huitième grossesse, elle donne le jour à un garçon, qui survit quelques heures.

LES FIANÇAILLES DE CLAUDE DE FRANCE

Dès la naissance de Claude de France, son mariage présente un intérêt politique capital. Jusqu'en 1510, elle est l'enfant unique du couple royal et l'héritière du duché de Bretagne. Toutefois, au-delà de ce constat, les vues de Louis XII et d'Anne de Bretagne divergent.

La reine Anne souhaite un mariage avec un prince étranger, qui préserverait l'indépendance de la Bretagne. Le roi, en revanche, ne saurait accepter une telle perspective, qui met-trait à mal l'unité du royaume. Dès 1501, Anne favorise l'idée d'un mariage entre Claude et Charles de Habsbourg, le futur Charles Quint. L'enfant, petit-fils de l'empereur Maximilien, est âgé d'un an à peine. En 1504, le traité de Blois avec Maxi-milien formalise le projet. Claude épousera le petit Charles et lui apportera une dot considérable (la Bretagne, la Bour-gogne, le comté de Blois et les possessions françaises d'Italie). Le roi se ravise bientôt et se résout à rompre le projet, qui

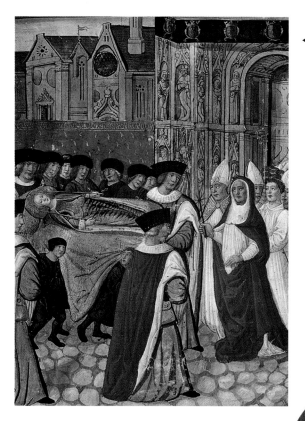

Le catafalque d'Anne de Bretagne. La mort de la reine en janvier 1514 permet à François d'épouser sa fille Claude.
(Paris, musée du Petit Palais)

« Jamais femme habile ne mourut sans héritier »

Selon l'écrivain Pierre de Brantôme, dont les sources ne sont pas toujours sûres, cette phrase aurait été prononcée au sujet de Marie d'York (*ci-dessous, Paris, musée des Arts décoratifs*). Marié à une jeunesse de dix-huit ans, Louis XII pouvait jusqu'au dernier moment espérer donner naissance à un héritier. Ironie du sort, le jeune François ne fut pas insensible au charme de la belle Anglaise, mais ne poussa pas l'aventure au point de risquer de lui donner le dauphin tant attendu.

La succession des rois : le précédent de 1328

C'est en vertu de la loi salique que les Valois montent sur le trône en 1328. Les fils de Philippe le Bel étant tous morts sans héritiers, c'est leur cousin germain, Philippe VI, fils de Charles de Valois et neveu de Philippe le Bel, qui leur succède. Il est l'ancêtre de Charles VIII. De même celui-ci passe le sceptre à Louis de Valois, cousin de la branche cadette des Orléans, qui à son tour le transmet en 1515 à François, son cousin issu de germain, de la branche des Valois-Angoulême.

revient à livrer la France aux Habsbourg. Seule l'union de Claude avec le plus proche héritier du trône, François d'Angoulême, assurera l'unité du royaume. Depuis longtemps, le roi considère son pupille comme un héritier éventuel. Il joue auprès du jeune homme le rôle d'un père. Il l'a investi du duché de Valois. Il a choisi ses précepteurs. Il l'a appelé régulièrement à la cour d'Amboise et lui a fait connaître ses principaux conseillers, tel le secrétaire des Finances Florimond Robertet.

Afin d'éviter un incident avec l'empereur Maximilien, le roi couvre la rupture du mariage avec Charles derrière la volonté du peuple. Une assemblée des notables, réunie à Tours en mai 1506, réclame les fiançailles de Claude et de François. Aux yeux du roi et de ses sujets, le comte d'Angoulême pos-

sède un avantage considérable sur Charles de Habsbourg : il est « Monsieur François, qui est tout françois ». La cérémonie est célébrée le 21 mai par le cardinal d'Amboise. Le peuple et la Cour se réjouissent, sauf Anne de Bretagne.

LA MORT DE LOUIS XII

En 1508, Louis XII installe définitivement François à la Cour. Il lui confie peu après le commandement de l'armée de Guyenne, où il bénéficie des conseils avisés d'Odet de Foix, maréchal de Lautrec. François est désormais l'héritier en titre, « Monsieur le dauphin ». La mort d'Anne de Bretagne, le 9 janvier 1514, supprime tout obstacle à son mariage avec Claude de France. Celui-ci est célébré le 18 mai, dans la simplicité car la Cour porte encore le deuil de la reine. L'été suivant, pour sceller la paix avec l'Angleterre, Louis XII se remarie avec la jeune sœur du roi Henri VIII. Ultime tentative pour avoir un fils ? Trois mois plus tard, le roi, pourtant ragaillardi par ses noces, s'éteint paisiblement au palais des Tournelles. Le 1er janvier 1515, François d'Angoulême, le « César » de Louise de Savoie, monte sur le trône de France.

Le palais des ▲
Tournelles.
Louis XII
y meurt le
1er janvier
1515.

▲ Mausolée de Louis XII
et Anne de Bretagne.
Créé par Antoine et
Jean Juste, ce tombeau
monumental est
le premier de la
Renaissance française.
(Cathédrale de Saint-Denis)

1515-1518

Roi à vingt ans
Vers un grand destin

▲ *François Ier et Louise de Savoie reçoivent les* **Chroniques de Savoie.** *François s'affirme dès le début du règne comme un ami des lettres et un mécène sans précédent parmi les rois de France.* (Paris, B.N.F.)

◄ *Le sacre de François Ier (25 janvier 1515). Le roi est couronné par l'archevêque de Reims.* (Paris, B.N.F.)

▲ *Médaille à l'emblème royal. François Ier a choisi la salamandre pour emblème dès 1504.* (Paris, B.N.F.)

FRANÇOIS, HENRI ET LES AUTRES

Entre 1509 et 1516, trois jeunes rois chevaliers reçoivent la couronne d'États puissants : Henri VIII en Angleterre, François Ier en France, Charles de Habsbourg en Espagne. Comme Henri et Charles, François ouvre par son avènement une ère de renouvellement, contrastant avec le règne d'un prédécesseur vieillissant. Comme eux, il se doit d'abord de respecter les rites du sacre et de se constituer un entourage politique.

« LE ROI EST MORT, VIVE LE ROI ! »

« **L**e premier jour de janvier, mon fils fut roi de France », note Louise de Savoie dans son *Journal*. La date de l'avènement de François Ier, le 1er janvier 1515 n'est symbolique qu'à nos yeux. Elle ne signifie pas grand-chose pour les contemporains, car, jusqu'à la fin du XVIe siècle, l'année débute officiellement à Pâques : on considère donc à l'époque qu'il s'agit du 1er janvier 1514.

François lui-même aura plutôt remarqué le mauvais temps de saison que la date elle-même. Si symbole il y a, c'est la date du sacre royal, le 25 janvier 1515, le jour où l'on fête la conversion de saint Paul, un événement qui a donné au chri-

stianisme son apôtre le plus éminent. Les hommes et les femmes de la fin du Moyen Âge ont une pensée symbolique très riche et voient dans les événements et les dates des signes du destin, qu'ils interprètent après coup. Aux yeux de Louise, la date du sacre confirme que le règne de son « César » inaugure une nouvelle ère. Elle a eu raison de consacrer sa jeunesse à son fils : celui-ci, par son avènement, récompense son sacrifice.

LE SACRE

C'est par la volonté de Dieu, dont il est le représentant sur terre, que François devient roi, et il doit se plier au rituel qui le consacre comme tel. La cérémonie du sacre a lieu à Reims, ville du baptême de Clovis.

François pénètre dans la cathédrale vêtu de blanc. Le roi prête d'abord serment de protéger l'Église, de faire régner la paix, de défendre les chrétiens, de rendre une justice équitable et de combattre l'hérésie. Ensuite, l'archevêque de Reims oint sa tête, sa poitrine, ses épaules et ses bras du saint chrême, l'huile des rois. François est dès lors une personne sacrée. Dans la cathédrale, le nouveau roi est présenté à son peuple : évêques et abbés, grands vassaux, officiers de la Couronne et

Henri VIII (1491-1547)

Roi d'Angleterre en 1509, Henri est un souverain brillant, chevalier accompli et prince cultivé. Ses ambitions sur le continent européen le font s'allier tour à tour aux Valois et aux Habsbourg. Ses trois guerres contre la France (1511-1514, 1521-1525, 1544-1546) ne se soldent par aucune victoire. Henri VIII échoue également à annexer le royaume d'Écosse. Son principal succès militaire demeure la création d'une grande flotte.

La grande affaire du règne est la répudiation de la reine Catherine d'Aragon. Le pape refusant d'approuver le divorce d'Henri, le roi se proclame en 1533 chef de l'Église d'Angleterre. Isolé dans l'Europe catholique, le roi entretiendra alors des rapports cordiaux avec la France, jusqu'en 1544. À sa mort, le 1er janvier 1547, Henri VIII aura eu six épouses, dont deux, Anne Boleyn et Catherine Howard, exécutées pour adultère et trahison.

« petites gens ». C'est une survivance des origines franques de la monarchie, lorsque le roi était encore élu. Il reçoit ensuite les insignes royaux : une robe bleue brodée de fleurs de lys, l'épée, l'anneau, le sceptre et la main de justice, enfin la couronne de Charlemagne que déposent sur sa tête les pairs du royaume.

Après le sacre, François se rend à Corbeny, dans la vallée de l'Aisne. Il y procède au « toucher des écrouelles ». Les écrouelles sont une inflammation spectaculaire des ganglions due à un mal d'origine tuberculeuse. Traditionnellement, le sacre est censé conférer au roi le pouvoir de guérir les malades par le seul toucher.

L'ENTRÉE A PARIS

Le 15 février 1515, François fait son entrée à Paris, capitale commerciale et politique du royaume. Le cortège royal vient de l'abbaye de Saint-Denis, où a eu lieu un second couronnement, au cérémonial plus modeste que celui de Reims.

Le décor de l'entrée est particulièrement fastueux. L'escorte du souverain est parée d'habits d'or et d'argent et de bijoux somptueux. Les princes et les nobles à cheval suivent le roi, qui avance sous un dais. Quatre cents archers ferment le défilé. François arbore son emblème, la salamandre, avec la devise *Nutrisco et extinguo* (« Je me nourris et j'éteins »). Cet animal un peu magique est censé éteindre les mauvais feux et attiser les bons. François, semble-t-il, l'a pris pour emblème dès l'âge de 10 ans et répandra partout son image. Le prévôt des marchands, les échevins et les différents corps de métier accueillent le nouveau souverain dans la liesse populaire et lui remettent les clefs de la ville. La procession se rend ensuite à Notre-Dame où est célébrée une messe solennelle. La journée se termine avec un somptueux banquet, donné dans le vieux palais de la Cité. Le faste et l'enthousiasme de cette entrée proclament à la fois la puissance de la monarchie française et sa réelle popularité. Consacré par l'Église, acclamé par le peuple, François est pleinement roi. Il est entré dans le cercle restreint des grands souverains de l'Europe.

HENRI D'ANGLETERRE

Au début de la Renaissance, ce sont les grands royaumes qui, face à la papauté et à l'Italie divisée, font et défont l'Europe. En Angleterre, règne Henri VIII, devenu roi en 1509, à l'âge de 18 ans. Doté d'un physique imposant et d'un caractère affirmé, il appartient à la dynastie Tudor, qui règne sur l'Angleterre depuis 1485. L'identité de cette nation s'est forgée dans la lutte contre les Écossais, les Irlandais et les Français.

Guillaume Gouffier, ▶
seigneur de Bonnivet.
Ami d'enfance du roi,
il reçoit une riche
pension, avant d'être
nommé amiral
de France.
(Paris, B.N.F.)

◀ *François Ier entouré*
de ses conseillers.
Le nouveau roi doit
confirmer dans leur
poste les officiers de la
Cour et de l'État.
Il récompense aussi
ses amis en leur
conférant charges et
pensions.
(Paris, B.N.F.)

Calais reste d'ailleurs jusqu'en 1558 un vestige des possessions anglaises en France. Henri s'attache à renforcer le pouvoir royal et à s'imposer dans les affaires de l'Europe, mais l'Angleterre reste un pays moins peuplé et moins riche que la France. De plus, le financement d'interventions à l'étranger est tributaire de l'approbation des Chambres des lords et des communes, réunies en Parlement, dont le consentement est nécessaire à la levée de nouveaux impôts.

CHARLES DE HABSBOURG

Charles de Habsbourg, le futur Charles Quint, est l'autre grand contemporain de François. Ses atouts sur l'échiquier politique européen sont certains. Le mariage de ses grands-parents maternels, Isabelle de Castille et Ferdinand d'Aragon, en 1469, a fait de l'Espagne un royaume unifié, fort en 1492 de la reconquête de Grenade, le dernier royaume musulman de la péninsule. Leur fille et héritière Jeanne, dite « la Folle », a épousé en 1495 Philippe de Habsbourg, fils de l'empereur Maximilien, et petit-fils, par sa mère Marie de Bourgogne, de Charles le Téméraire. Ce mariage réunissait les possessions des Habsbourg en Autriche et en Allemagne, les anciens domaines des ducs de Bourgogne (la Franche-Comté et les Pays-Bas de la Flandre à la Hollande) à la couronne d'Espagne.
À la mort de Philippe en 1506, son fils Charles devient l'héritier d'un immense patrimoine. Le décès de son grand-père Ferdinand d'Aragon en 1516 le porte sur le trône d'Espagne. Cet adolescent timide et morose ne peut rivaliser avec son père, surnommé « le Beau » et réputé pour son intempérance. Mais, doué d'une intelligence politique remarquable, il se révélera vite le plus redoutable adversaire de François Ier.

L'AN UN DU RÈGNE

Comme Henri et Charles, François doit assumer les lourdes responsabilités de la Couronne. Or, à vingt ans, il n'a guère été formé à la diplomatie et à la guerre. Il a, en revanche, appris de Louis XII l'importance de s'entourer de bons conseillers, d'hommes de valeur.
L'avènement donne à François l'occasion de confirmer ou d'infirmer complètement les choix de son prédécesseur. Au jour de la mort d'un souverain, les détenteurs d'un office ou d'une charge au service du roi cessent leurs fonctions. Tous les privilèges accordés par le roi défunt, toutes les dettes qu'il a contractées, sont soumis à une nouvelle approbation. Ce principe est l'une des lois intangibles du royaume.

LES NOUVEAUX FAVORIS

François distribue faveurs et offices à ses proches. Louise, sa mère est créée duchesse d'Angoulême et d'Anjou. Elle entre au Conseil privé, qui regroupe les principaux conseillers. Sa sœur, Marguerite, reçoit les revenus du duché de Berry, l'un des fleurons du domaine royal, tandis que son mari, Charles d'Alençon, est nommé gouverneur de Normandie. Enfin, René de Savoie, demi-frère bâtard de Louise, devient grand sénéchal et gouverneur de Provence.
Le roi n'opère pas un complet bouleversement des faveurs. François récompense de grands personnages du règne de Louis XII : La Trémoille reçoit l'amirauté de Guyenne et de Bretagne, les sires de Lautrec et de La Palice deviennent maréchaux de France. Ses amis d'enfance bénéficient également des largesses royales, mais surtout sous forme de pensions et de revenus. Les membres de la famille Gouffier font toutefois figure

Artus Gouffier, seigneur de Boisy. L'ancien gouverneur de François devient grand maître de la Maison du roi. *(Paris, B.N.F.)*

▼ *Anne de Montmorency.* Proche du roi dès sa jeunesse, il sera nommé connétable de France en 1538. *(Paris, B.N.F.)*

◄ *Antoine Duprat.* Cet allié de Louise de Savoie se voit confier la charge de chancelier. *(Paris, musée du Louvre)*

Charles de Bourbon (1490-1527)

Comte de Montpensier par sa naissance, Charles de Bourbon (*ci-contre, Chantilly, musée Condé*) épouse en 1505 sa cousine Suzanne de Bourbon, fille d'Anne de Beaujeu et héritière du duché de Bourbon. Il a déjà un glorieux passé militaire lorsqu'il est nommé connétable en 1515. En 1523, à la suite d'un conflit de succession qui l'oppose au roi, il passe au service de Charles Quint. Il meurt en 1527 lors du sac de Rome.

un ensemble territorial immense au centre de la France. Le roi se met donc sous la coupe d'un homme puissant, mais il ne pouvait choisir un meilleur général : chacun reconnaît en Charles de Bourbon le meilleur capitaine français. De plus, le connétable a prêté au roi un serment personnel et son comportement est dicté par les valeurs de la chevalerie, au premier rang desquelles la fidélité figure en bonne place.

… ET DUPRAT CHANCELIER

Le chancelier de France passe après le connétable, pour des raisons de préséance : l'épée ne saurait céder le pas devant la robe. Mais, dans les faits, le rôle du chancelier est primordial : il prépare et fait rédiger les actes royaux, il les contresigne et y appose le sceau qui seul leur donne valeur et force exécutoire. Il prête lui aussi un serment personnel au roi, et est inamovible, sauf en cas de haute trahison. Il peut siéger dans tous les tribunaux. Des honneurs particuliers marquent sa place éminente dans l'État. Dès sa nomination, le titulaire de l'office est anobli avec la qualité héréditaire de chevalier. Lors des cérémonies, il se tient à la gauche du roi, la place à droite étant réservée au connétable.

Le 7 janvier 1515, François nomme à cette charge un proche de Louise de Savoie, Antoine Duprat, premier président du parlement de Paris, âgé de 52 ans. D'origine auvergnate, Duprat a occupé de hautes charges dans la magistrature toulousaine, puis parisienne. Il a instruit le procès du maréchal de Gié, s'attirant ainsi la faveur d'Anne de Bretagne. Dans les dernières années du règne de Louis XII, il a su se rendre utile à Louise de Savoie. Il se montrera un ministre et un négociateur de valeur. Veuf, il embrassera la carrière ecclésiastique, devenant archevêque de Sens et cardinal en 1527.

de favoris : Artus, seigneur de Boisy, qui a élevé François comme gouverneur, devient grand maître de la Maison du roi, la principale charge de la Cour ; son frère cadet, le jeune Guillaume, seigneur de Bonnivet, reçoit sur-le-champ une pension considérable. Il sera nommé en 1517 amiral de France.

BOURBON CONNÉTABLE…

François doit aussi attribuer les deux charges les plus importantes de l'État : celles de connétable et de chancelier. Le connétable, chef des armées, est le lieutenant général du roi pour toutes les affaires militaires. Lors des grandes cérémonies, il a le privilège de porter l'épée royale, qu'il présente nue. Il est inamovible, et en cas de disgrâce, il n'est pas destitué, mais seulement éloigné de la Cour. La charge est vacante depuis la mort de son dernier détenteur en 1488. Avide d'en découdre en Italie, François a besoin d'un chef de guerre qui l'épaule dans ses expéditions. Compte tenu de la puissance que confère une telle charge, son titulaire ne peut qu'être issu d'une grande lignée. Le roi choisit un parent, cousin de Louise de Savoie : Charles III, duc de Bourbon. Il descend des Capétiens par Saint Louis et sa famille possède

Les derniers chevaliers

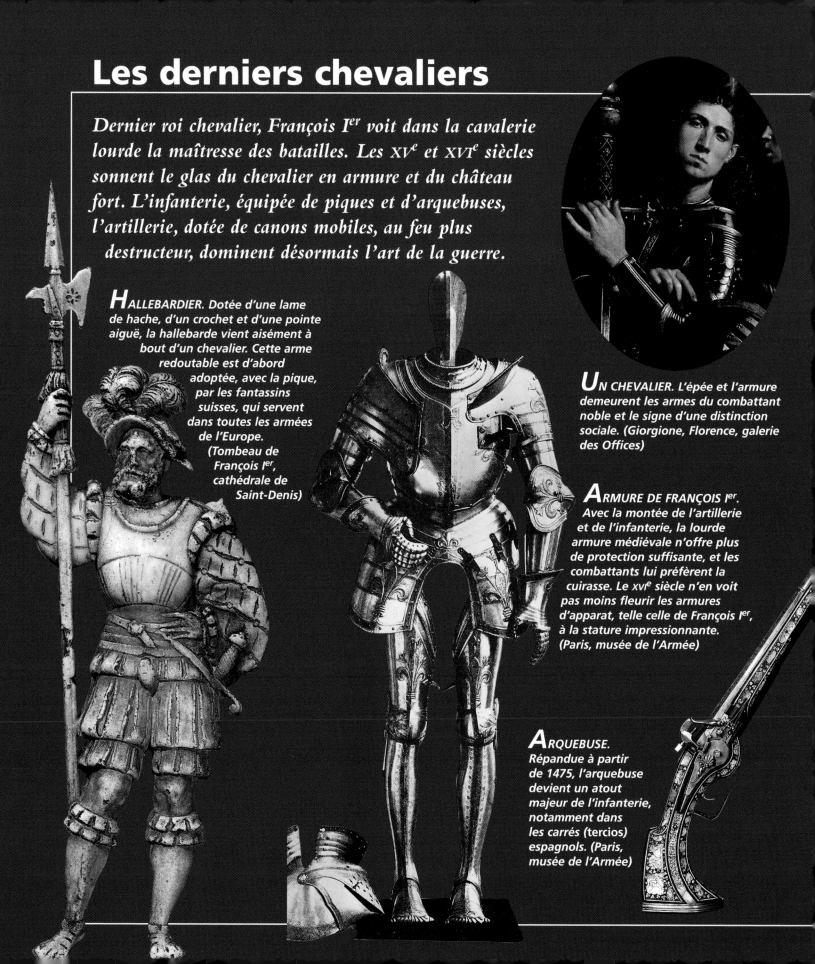

Dernier roi chevalier, François Ier voit dans la cavalerie lourde la maîtresse des batailles. Les XVe et XVIe siècles sonnent le glas du chevalier en armure et du château fort. L'infanterie, équipée de piques et d'arquebuses, l'artillerie, dotée de canons mobiles, au feu plus destructeur, dominent désormais l'art de la guerre.

HALLEBARDIER. Dotée d'une lame de hache, d'un crochet et d'une pointe aiguë, la hallebarde vient aisément à bout d'un chevalier. Cette arme redoutable est d'abord adoptée, avec la pique, par les fantassins suisses, qui servent dans toutes les armées de l'Europe. (Tombeau de François Ier, cathédrale de Saint-Denis)

UN CHEVALIER. L'épée et l'armure demeurent les armes du combattant noble et le signe d'une distinction sociale. (Giorgione, Florence, galerie des Offices)

ARMURE DE FRANÇOIS Ier. Avec la montée de l'artillerie et de l'infanterie, la lourde armure médiévale n'offre plus de protection suffisante, et les combattants lui préfèrent la cuirasse. Le XVIe siècle n'en voit pas moins fleurir les armures d'apparat, telle celle de François Ier, à la stature impressionnante. (Paris, musée de l'Armée)

ARQUEBUSE. Répandue à partir de 1475, l'arquebuse devient un atout majeur de l'infanterie, notamment dans les carrés (tercios) espagnols. (Paris, musée de l'Armée)

SIÈGE D'UNE VILLE.
Les batailles et les
sièges des guerres
d'Italie ont consacré
le rôle des canons,
dont les boulets en
fonte sont à même
de détruire toutes
les fortifications
existantes. L'artillerie
du roi de France,
développée pendant
la guerre de Cent Ans
par les frères Bureau,
est réputée la
meilleure d'Europe.
(Sienne, Archives
d'État)

UN CHÂTEAU FORT
MODIFIÉ. La puissance
et la précision des
canons contraint les
architectes à modifier
les forteresses médié-
vales. Les ingénieurs du
XVIᵉ siècle adaptent les
constructions anciennes,
flanquant les murailles
de bastions, y perçant
arquebusières et canon-
nières. Ainsi, au château
de Saumur (Maine-et-
Loire), ci-contre.

*Arquebusiers ▲
à Marignan.
L'infanterie française est
composée de mercenaires
gascons et basques et
de lansquenets allemands.
(Tombeau de François Ier,
cathédrale de Saint-Denis)*

MARIGNAN OU LE TEMPS DE LA GRÂCE

En janvier 1515, la France a perdu toutes ses possessions italiennes. Fidèle au modèle de ses prédécesseurs, François veut faire valoir ses droits sur le Milanais. Celui-ci se trouve aux mains de Maximilien Sforza, fils de Ludovic le More. Le duc de Milan a pour alliés le pape Léon X, soucieux de préserver ses positions en Italie du Nord, l'empereur Maximilien de Habsbourg, alors en guerre contre Venise, et surtout les cantons suisses. Le cardinal de Sion, Mathias Schiner, qui dirige alors la diplomatie suisse, a garanti au duc de Milan le soutien de son infanterie, en échange de territoires et de subsides généreux.

LE PASSAGE DES ALPES

François peut s'attendre à une rude opposition, cela d'autant plus que la descente en Italie l'oblige à passer les Alpes, une étape toujours difficile. Au mois d'août 1515, l'armée française « passe les monts ». Contrairement aux attentes de ses adversaires, le roi a évité les cols de la Savoie, tenus par l'ennemi, et a choisi d'emprunter le col de Larche, situé très au sud, et fréquenté seulement par les paysans. Il a fallu, dit-on, construire la route au fur et à mesure de la progression des

troupes, démonter les canons pour les descendre avec des cordes dans les précipices et guider les montures à pied. Après cette première victoire, remportée sur une nature inhospitalière, les Français débouchent en Italie. Lors d'une escarmouche à Villafranca, Bayard surprend en plein déjeuner et capture Prosper Colonna, le bras droit du duc de Milan. Les adversaires se préparent à l'affrontement.

LES FORCES EN PRÉSENCE

François installe son campement à Marignan, à une douzaine de kilomètres au sud de Milan. L'armée permanente française, la plus nombreuse d'Europe, repose principalement sur la cavalerie, commandée par des aristocrates volontaires et composée d'hommes d'armes lourdement cuirassés et d'archers. L'infanterie est constituée de mercenaires gascons et basques. Des lansquenets allemands ont été recrutés. Quant à l'artillerie, en particulier les canons, elle est depuis le milieu du XVe siècle à la pointe de la modernité en termes de précision et de maniabilité. Le roi peut en outre compter sur l'alliance avec Venise, qu'il a prudemment contractée peu avant son départ en campagne. Les Vénitiens, commandés par

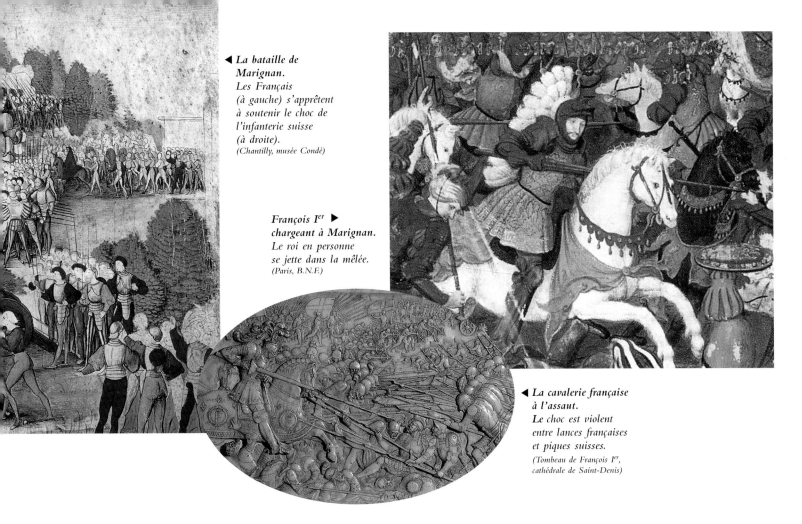

◀ *La bataille de Marignan.*
Les Français (à gauche) s'apprêtent à soutenir le choc de l'infanterie suisse (à droite).
(Chantilly, musée Condé)

François Ier ▶
chargeant à Marignan.
Le roi en personne se jette dans la mêlée.
(Paris, B.N.F.)

◀ *La cavalerie française à l'assaut.*
Le choc est violent entre lances françaises et piques suisses.
(Tombeau de François Ier, cathédrale de Saint-Denis)

un remarquable chef de guerre, Bartolomeo d'Alviano, sont installés non loin du camp français, à Lodi. Maximilien Sforza a réuni à Milan et à Monza 35 000 mercenaires suisses, que François tente d'acheter à coups d'écus collectés à la hâte parmi ses fidèles. Les alliés espagnols et pontificaux de Maximilien stationnent quant à eux loin au sud-est, à Plaisance. Ils ne prendront pas part au combat.

LE DÉROULEMENT DE LA BATAILLE

L'affrontement commence dans l'après-midi du 13 septembre 1515. Après une courte hésitation, les Suisses ont décidé d'attaquer les Français. Les piquiers suisses, menés par le cardinal Schiner, mettent d'abord les troupes de François en difficulté. La cavalerie française est dispersée par l'avance d'un carré de 7 000 Suisses, que les lansquenets peinent à arrêter. Par chance, la nuit contraint les deux camps à cesser le combat. François Ier en profite pour réorganiser son armée. Le lendemain, à l'aube, le combat reprend. Les Suisses, bravant le feu des canons, dispersent l'infanterie française. Vers huit heures du matin, l'armée royale est très affaiblie. Appelé d'urgence, Alviano renverse la situation : la cavalerie véni-

tienne prend les Suisses à revers et les force à se replier sur Milan. Le roi de France sort vainqueur de ce baptême du feu, malgré des pertes très lourdes : les deux camps auraient enseveli, en tout, 16 500 corps. Vaincus, les Suisses sont loin d'avoir démérité.

LE ROI CHEVALIER

François, qui vient d'avoir 21 ans, s'est couvert de gloire. La bataille était un « combat de géants », selon le mot du maréchal Trivulce. Elle a duré vingt heures, bien plus que les autres affrontements de l'époque. La bataille de Ravenne, en 1512, s'était déroulée sur sept heures.
Mais Marignan a surtout marqué les esprits par la bravoure déployée par d'anciens généraux de Louis XII, tels Pierre Bayard et l'italien Trivulce, ou de jeunes officiers, comme Galiot de Genouillac. Le rôle de l'infanterie et de l'artillerie inscrit Marignan dans l'ère moderne, mais les hauts faits des combattants l'inscrit dans la tradition chevaleresque du Moyen Âge. On vante l'endurance et la bravoure de François Ier, ainsi que sa maturité et sa sagesse. Prince téméraire, il n'hésite à combattre en personne au milieu de

FRANÇOIS Ier 1515-1518

Les Suisses

En 1499, les Suisses ont obtenu de l'Empereur leur indépendance. Hommes libres, ils sont solidaires sur le champ de bataille et constituent une redoutable infanterie de piquiers, qui se vend au plus offrant. Massés en carrés serrés, ils démontent les cavaliers, que leur lourde armure empêche de remonter sur leurs chevaux. Leur force fait leur faiblesse : combattant à pied, ils sont plus exposés aux tirs de l'artillerie. De par leurs origines roturières et montagnardes, les Suisses ont la réputation de traîtres brutaux, d'ivrognes et de rebelles : leur emblème est un ours, que les Français montrent après Marignan sous la patte de François Ier, figuré par un lion (*ci-dessus, Chantilly, musée Condé*). Les nobles français méprisent ces fantassins, mais le poète italien Arioste les appelle les « dompteurs de princes », et le pape Jules II, qui a employé leurs services, les qualifie de « défenseurs de la liberté de l'Église ».

◀ *François le Grand. Après sa victoire, François est peint en « Franciscus Magnus » ou « Marignanus » (F.M.). (Jean Clouet, Londres, British Library)*

▲ *Le cardinal Schiner. Chef des troupes suisses à Marignan, il paie sa défaite par un exil à Rome. (Beauregard, musée du Château)*

la mêlée, entouré de ses preux. Il a su tenir conseil à chaque moment critique, écouter les avis de ses capitaines les plus expérimentés : Pierre de Bayard, de vingt ans son aîné, surnommé le « chevalier sans peur et sans reproche », et Jacques de Chabannes, seigneur de La Palice, un homme mûr de 45 ans. Magnanime, le roi refuse de poursuivre les ennemis en déroute. Soucieux d'épargner des vies humaines, il fait soigner tous les blessés. On compare François à Charlemagne, et son maréchal Trivulce, qui a perdu son cheval lors du combat, au preux Roland. C'est à juste titre que Louise de Savoie qualifie son fils de « glorieux et triomphant César, subjugateur des Helvétiens » : en conduisant lui-même ses troupes, le roi a fait montre de *virtù*, le courage des héros de l'Antiquité, là où son prédécesseur Charles VIII avait seulement bénéficié de la *fortuna*, la chance.

LE MYTHE DE MARIGNAN

Les poètes français et italiens chantent la « victoire du noble roy François ». Le musicien Clément Janequin compose l'étonnante *Chanson de Marignan*, où les voix restituent le tumulte du combat, imitant les trompettes et clairons, le choc des armes, les salves d'artillerie, qui s'entremêlent aux cris de guerre : « Suivez, frappez, tuez ». Les poètes diffusent le mythe de Bayard armant le roi chevalier sur le champ de bataille, ou de François endormi sur le fût d'un canon. Au XVIIe siècle, un bas-relief du château des Grimaldi à Cagnes témoignera de la gloire toujours vivace de Marignan.

L'ISSUE DIPLOMATIQUE

Le roi victorieux connaît un véritable état de grâce. Le pape Léon X signe le premier la paix, le 13 octobre 1515 : il reconnaît en François Ier le duc légitime de Milan, de Parme et de Plaisance. En retour, François s'engage à défendre les Médicis, cousins du pape, qui règnent sur Florence. C'est aussi à cette occasion qu'est négocié le concordat de Bologne, qui règle les rapports de la papauté et du roi de France.

Deux traités mettent fin aux hostilités avec l'empereur Maximilien de Habsbourg et son petit-fils Charles, qui monte en janvier 1516 sur le trône d'Espagne. Le traité de Noyon (août 1516) permet à Charles de conserver le royaume de Naples. Il verse cependant un tribut, signe qu'il reconnaît implicitement les prétentions françaises sur Naples. Enfin, la paix de Cambrai (11 mars 1517) crée une alliance défensive de la France, de l'Empire et de l'Espagne, engagées en outre dans un projet de croisade contre les Turcs.

Les cantons suisses ont entre-temps exilé le cardinal Schiner, qu'ils jugent responsable de leur échec à Marignan. Des négociations s'engagent. Le 29 novembre 1516, une « paix perpétuelle » est signée à Fribourg : en échange d'un million d'écus, les Suisses s'engagent à ne jamais servir les ennemis du roi de France. Ils évacuent de plus les châteaux de Lugano et Locarno. Mais, à ce moment, la guerre est déjà terminée : François Ier en a donné le signe le 5 octobre 1516, en venant déposer l'oriflamme en la basilique de Saint-Denis.

1516 - Charles de Habsbourg, roi d'Espagne

Petit-fils de Marie de Bourgogne par son père Philippe le Beau, Charles de Habsbourg (le futur Charles Quint) est d'abord un prince bourguignon, qui parle le français et le flamand. Né à Gand en 1500, il passe son enfance aux Pays-Bas, dont il hérite, en 1507, avec la Franche-Comté. Mais, par sa mère Jeanne « la Folle », il est aussi le petit-fils des Rois Catholiques, Ferdinand II d'Aragon et Isabelle de Castille. Lorsque Isabelle meurt en 1504, Jeanne est l'unique descendante vivante du couple.

Son époux Philippe le Beau réussit alors à se faire reconnaître roi de Castille. Jeanne, dont la santé mentale s'est détériorée progressivement, est exclue du gouvernement. En 1506, Philippe meurt subitement, laissant Ferdinand seul souverain.

À la mort de ce dernier, le 23 janvier 1516, Charles de Habsbourg se fait proclamer à Gand souverain de la Castille et de l'Aragon. Charles résidant alors à Gand, la régence est confiée au cardinal Francisco Jiménez de Cisneros, grand inquisiteur de Castille. Homme d'État remarquable et humaniste exceptionnel, Cisneros assure l'ordre pendant la régence, mais la situation se dégrade après l'arrivée du roi Charles en mai 1517. Le jeune souverain, qui ne parle pas l'espagnol, se rend vite impopulaire. La noblesse n'apprécie guère la forte présence de conseillers flamands. En 1519, pendant une nouvelle absence du roi, les villes se révoltent dans les royaumes de Castille, de Valence et de Majorque. La radicalisation du mouvement pousse les nobles, restés d'abord inactifs, à intervenir aux côtés du roi. Les rebelles sont vaincus à la bataille de Villalar, le 23 avril 1521. L'autorité des Habsbourg ne sera désormais plus contestée sous le règne de Charles.

Le cardinal Cisneros (1436-1517).
Il est régent d'Espagne de 1516 à 1517, avant l'arrivée du roi Charles de Habsbourg.

L'enfance de Charles Quint.
L'humaniste Érasme fait la lecture au prince, qui trône au côté de sa mère Jeanne la Folle.
(Paris, musée d'Orsay)

Le Clos-Lucé, près d'Amboise.
François Ier a offert ce manoir à Léonard et vient l'y visiter presque tous les jours. ▼

Château d'Amboise ▶ (Indre-et-Loire).
François Ier en fait sa principale résidence jusqu'en 1518.

Autoportrait ▲
de Léonard de Vinci.
Invité par François Ier, le grand artiste passe ses dernières années en France.
(Turin, Palais royal)

LÉONARD À AMBOISE

La victoire de Marignan est plus qu'un événement militaire et diplomatique. François Ier est désormais un souverain prestigieux, un prince dont les artistes recherchent la protection. C'est auréolé de sa gloire nouvelle que le roi rencontre le pape Léon X à Bologne, en octobre 1515. Or, dans l'entourage pontifical figure un des artistes les plus célèbres d'Italie : Léonard de Vinci. En obtenant sa venue en France, le roi remporte un succès décisif pour l'évolution de la Renaissance française.

UNE CARRIÈRE PRESTIGIEUSE

Les rois de France ont, à travers les siècles, fait travailler des artistes étrangers, surtout des Flamands, dont la technique en peinture et en enluminure était remarquable. À la fin du XVe siècle, de grands seigneurs français ont jeté les bases d'échanges artistiques avec l'Italie, accentués après 1494 par les guerres d'Italie. Les artistes italiens - Raphaël, Michel-Ange, Titien - jouissent en France d'une réputation certaine. Aucun, pourtant, n'est l'égal de Léonard de Vinci. Né en 1456 à Vinci, il a suivi les leçons du peintre et sculpteur Verrocchio. Il travaille tout d'abord à Florence pour Laurent de Médicis. Ce dernier l'envoie à Milan, auprès du duc Ludovic Sforza, afin de lui remettre une lyre dont il est le seul à savoir jouer. Il travaille vingt ans pour les Sforza, jusqu'à l'arrivée des Français en 1499. Il regagne alors Florence.

En 1506, Charles d'Amboise, lieutenant général en Milanais et grand admirateur de Léonard, le fait venir auprès de lui. Sur la demande de Louis XII, il organise en 1507 les fêtes qui célèbrent la fin de la rébellion de Gênes. Il décline cependant l'offre du cardinal d'Amboise de travailler à Gaillon. Les déboires des Français en Italie interrompent momentanément les relations de Léonard avec les occupants.

LÉONARD EN FRANCE

Les artistes de la Renaissance ont besoin de protecteurs qui leur commandent des œuvres et les introduisent auprès des princes. En 1513, Léonard se met au service de Julien de Médicis, maître de Florence et frère du pape Léon X. Deux ans plus tard, lors des négociations de Bologne entre François Ier et le pape, il est présenté au roi de France. Il fabrique pour la circonstance un automate en forme de lion, dont la poitrine s'ouvre sur un lys à la place du cœur. François pro-

pose de l'accueillir en France. Léonard refuse, mais la mort de Julien de Médicis, en mars 1516, le fait changer d'avis. L'artiste quitte l'Italie au printemps de 1517. Il emporte ses biens les plus précieux : il sait qu'il ne reverra plus son pays.

UN ACCUEIL PRINCIER

François installe Léonard près de sa résidence d'Amboise, au manoir de « Cloux » (aujourd'hui le Clos-Lucé), où demeurait auparavant sa propre sœur, Marguerite. Léonard est doté d'une pension de 1 000 écus, et, selon l'historien Vasari, le roi le nomme « son premier peinctre et ingenieur et architecte ». Atteint de paralysie à la main droite, le maître ne peut peindre, mais, par loyauté envers le roi, il s'adjoint un élève, Francesco Melzi, et fait venir d'Italie des œuvres terminées, telles la *Joconde* et le *Saint-Jean-Baptiste*. Il conçoit pour le roi des scénographies pour des fêtes à Amboise et à Argentan. Léonard se consacre essentiellement à ses recherches sur les machines et à ses projets d'urbanisme. Il entreprend de dessiner pour François, qui veut honorer sa bonne ville de Romorantin, les plans d'une ville nouvelle, où il est prévu de donner des joutes nautiques inspirées des fastes de l'Empire romain. Le projet est

associé à l'assèchement des marais de Sologne. De nombreux visiteurs viennent bénéficier de ses conseils : Dominique de Cortone, futur architecte de Chambord et de l'Hôtel de Ville de Paris, le peintre Andrea Del Sarto. Âgé et malade, Léonard s'éteint doucement, à 67 ans, le 2 mai 1519.

LE MAÎTRE DU GOÛT ROYAL

François Ier a-t-il assisté aux derniers instants de Léonard ? Les historiens sont divisés sur la question. Peu importe, dira-t-on, tant leur amitié fut réelle. Le séjour aura duré deux ans, mais l'influence de Léonard aura été décisive sur un souverain avide de connaissances et sensible à l'art depuis ses jeunes années. Le vieil homme ne cesse d'entretenir François de projets dans lesquels l'originalité le dispute à l'ingéniosité. Il le persuade que ses dessins et ses créations peuvent être réalisés. Il donne confiance à ce jeune roi, qui ne rêve que d'imiter les réalisations des princes italiens. C'est en ce sens que l'on peut parler de paternité spirituelle entre Léonard et François. Le savant ouvre la voie à d'autres artistes italiens, tels Benvenuto Cellini et le Primatice, qui viendront, dans quelques années, reprendre l'œuvre inachevée du maître.

Les dessins de Léonard

La réputation de Léonard de Vinci repose aujourd'hui sur la perfection et l'infinie variété de ses dessins, car la plupart de ses tableaux ont disparu. Dans un esprit universaliste, caractéristique de la Renaissance, l'artiste a traité tous les sujets : études de la nature, caricatures et monstres fantastiques côtoient dessins anatomiques, esquisses scientifiques et projets d'architecture.

***L'**HOMME VOLANT. Vers 1500, Léonard est le premier à étudier scientifiquement le vol. Dans plus de 400 dessins, il esquisse le planeur, le parachute, l'hélicoptère... (Milan, musée des Sciences et Techniques)*

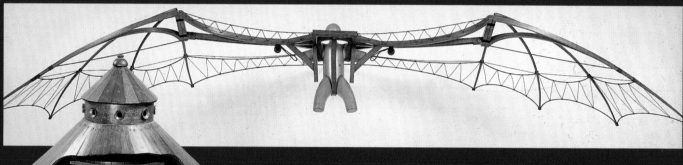

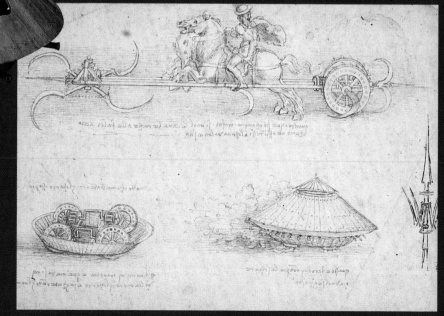

***M**ODÈLE D'UN CHAR BLINDÉ. Malgré leur aspect fantasque, les machines de Léonard reposent sur une étude minutieuse des problèmes techniques. (Vinci, Museo Vinciano)*

***D**ESSIN D'UN CHAR BLINDÉ. Pour inventer ses machines de guerre, Léonard étudiait les auteurs de l'Antiquité. (Londres, British Museum)*

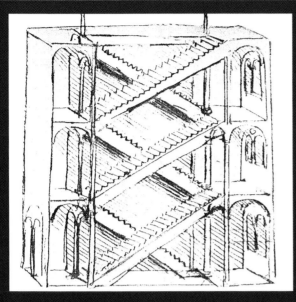

E*SCALIER À DOUBLE CIRCULATION (vers 1490).
Le principe en existait dès la fin du Moyen Âge,
mais Léonard remet l'idée au goût du jour à des
fins militaires. Ses dessins inspirent probablement
l'escalier à double révolution de Chambord.
(Paris, bibliothèque de l'Institut de France)*

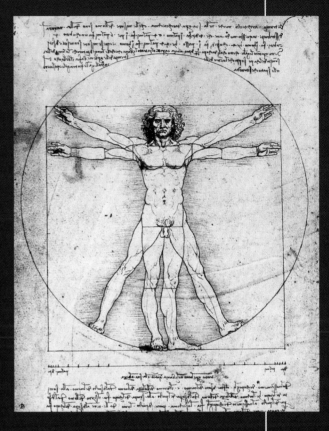

C*ANON DES PROPOR-
TIONS HUMAINES.
Avec Alberti et Dürer,
Léonard inaugure
une étude scientifique
de la morphologie
humaine. Il s'intéresse
aux corrélations
entre les différentes
parties du corps
humain.
(Venise, galerie
de l'Académie)*

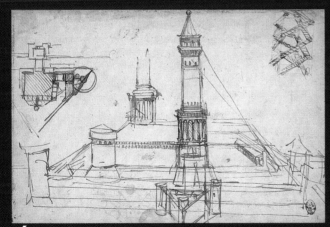

É*TUDE D'ARCHITECTURE RELATIVE AU
CASTELLO SFORZESCO. Les progrès de
l'artillerie au XVᵉ siècle rendent les
fortifications existantes indéfendables.
Comme d'autres ingénieurs italiens,
Léonard cherche à renouveler leur
architecture. (Paris, musée du Louvre)*

F*LEURS.
Ce dessin est
probablement
une étude pour
la Vierge aux
rochers, qui
se trouve
aujourd'hui
au musée
du Louvre.
(Florence,
Gabinetto dei
Disegni e delle
Stampe)*

Le roi Dagobert. ▲
*Après 1500, l'art du
vitrail connaît une
époque faste.*
(Paris, musée du Louvre)

◄ *Saint Claude et Claude
Gouffier de Boisy.
Signe de la vigueur du
culte des saints, les
nobles se font représenter
au côté de leur saint
patron.*
*(Oiron, collégiale
Saint-Maurice)*

Construction ▶
*de la cathédrale
de Beauvais.
Les travaux, repris
vers 1500, sont
achevés au milieu
du siècle.*
*(Beauvais, musée
départemental de l'Oise)*

LA FRANCE, FILLE AÎNÉE DE L'ÉGLISE

Après Marignan, François Ier est en position de conclure avec le pape Léon X une paix religieuse que la France attend depuis quatre-vingts ans. L'accord des deux hommes apaisera les relations tumultueuses entre les rois de France et la papauté. Cette paix est nécessaire : puissance économique, sociale et judiciaire, l'Église de France est en crise.

LE ROI ET LE PAPE

François Ier n'est pas un expert en théologie, mais il sait que le roi de France, successeur de Clovis, a pour devoir de protéger l'Église dans ses personnes et dans ses biens. Le contentieux entre le roi et le pape ne porte pas sur leurs rôles respectifs. Le premier est le chef politique et religieux du royaume. Le second est le chef spirituel de la chrétienté, investi d'une autorité théologique et disciplinaire.
En revanche, l'affrontement avec Rome n'est pas étranger au contexte diplomatique et militaire : depuis 1494, la papauté s'est trouvée au cœur des alliances opposées à la présence française en Italie. La politique du Saint Siège ne peut que rejaillir sur ses rapports avec l'Église de France. Convoqués au concile du Latran en mai 1515, les évêques français ne s'y

sont pas rendus, pour cause de guerre entre le roi et la ligue formée des troupes pontificales et espagnoles. Mais le différend majeur est d'une autre nature. Il concerne la nomination aux charges de l'Église, les bénéfices ecclésiastiques.

LA PRAGMATIQUE SANCTION

En 1438, par la Pragmatique Sanction de Bourges, le roi Charles VII a voulu corriger les abus dans la nomination aux « bénéfices majeurs », évêchés et abbayes. Jusqu'alors, le pape pouvait nommer le candidat de son choix à un bénéfice vacant, voire réserver le poste avant même sa vacance. En outre, il percevait l'annate, la première année de revenus de tout nouveau bénéficiaire. La Pragmatique Sanction retire à Rome le droit de nomination et les annates. Les évêques seront désormais élus par les chanoines de leur cathédrale ; les abbés, par leurs religieux.
La réforme s'avère un remède pire que le mal. Les grandes familles, et le roi lui-même, interviennent dans les élections. Des nominations frauduleuses se produisent. Car un bénéfice, c'est un revenu. Certains les accumulent, sans jamais mettre les pieds dans leur diocèse ou leur abbaye, préférant jouir des

plaisirs de la Cour. François Iᵉʳ lui-même est entouré de ces ecclésiastiques courtisans, serviteurs utiles, mais dévorés d'ambition et alliés aux grandes familles. Un Étienne Poncher, évêque de Paris, marie sa nièce au fils du financier Thomas Bohier, le constructeur de Chenonceau.

Les familles nobles ont à cœur de maintenir le système en l'état. En conservant dans sa lignée évêchés et abbayes, un clan assure un avenir confortable à ses cadets. En outre, certains évêques sont des seigneurs temporels, peu enclins à abandonner une parcelle de leur autonomie – par exemple l'archevêque de Lyon, à la fois premier prélat du royaume (avec le titre de « primat des Gaules ») et comte de Lyon.

LA NÉCESSAIRE RÉFORME

François sait que la réforme de l'Église est nécessaire, et qu'elle se fera en partant du haut, et non de la base. Déjà, des prélats exemplaires se distinguent dans la reprise en main de leur diocèse, comme François d'Estaing à Rodez. La situation religieuse n'est pas catastrophique. Des églises sont construites, les pèlerinages fleurissent, des formes nouvelles de spiritualité apparaissent, tel le rosaire ou le chemin de

Léon X ▶ et ses neveux. Après Marignan, le pape cherche à se réconcilier avec François Iᵉʳ. (Raphaël, Florence, galerie des Offices)

Abolition de la Pragmatique Sanction par Léon X. L'édit royal de 1438 avait mis en cause l'autorité suprême du pape. (Paris, Archives ▼ nationales)

croix. Mais, aux échelons inférieurs de la hiérarchie ecclésiastique, l'ivrognerie le dispute souvent à l'illettrisme. Les évêques, qui nomment les curés et les vicaires, sont plus sensibles aux pressions qu'à la dignité des candidats. Les provinces les plus reculées ne sont catholiques qu'en apparence et doivent faire l'objet d'une nouvelle évangélisation.

L'idée de la réforme fait son chemin. Le roi n'est pas insensible aux idées nouvelles, notamment celles du groupe réuni à Meaux par l'évêque Guillaume Briçonnet. Les prédications du Carême stigmatisent les abus des clercs et les déviances des fidèles. Mais ces aspirations heurtent des bénéficiaires plus soucieux de jouir des plaisirs de la Cour et des revenus de leurs bénéfices que d'évangéliser leurs ouailles.

LE CONCORDAT DE BOLOGNE

François est décidé à traiter avec le pape dès leur rencontre à Bologne, en octobre 1515. Les deux hommes parlent en égaux. Le roi de France est le chef politique et religieux du royaume, il vient de remporter une victoire militaire contre les alliés du pape. Léon X comble le roi de compliments et le traite en « nouveau Constantin ». Il forme avec lui le projet d'une croisade contre les Turcs. Il lui envoie de nombreux cadeaux diplomatiques, parfois incongrus de la part d'un

ecclésiastique. Ainsi, en 1518, le pape, qui connaît la passion conjointe de François pour les œuvres d'art et pour les femmes, lui expédie le portrait de la plus belle femme de l'époque, Jeanne d'Aragon, peinte par Raphaël.

Le roi et le pape s'entendent sur l'abolition de la Pragmatique Sanction. Après le retour de François dans son royaume, les négociations se poursuivent sous la direction du chancelier Duprat. Elles aboutissent en août 1516 au concordat de Bologne, ratifié en décembre suivant par le concile du Latran.

LES RÉSISTANCES AU CONCORDAT

Malgré ce succès éclatant, François se heurte à deux oppositions : le Parlement, qui représente la noblesse de robe, et l'Université, tenue par le clergé. Ces deux institutions peuvent jouer le rôle de contre-pouvoirs, car le roi reste en effet soumis aux lois et coutumes du royaume : pour être appliquée, toute décision royale doit être enregistrée par le Parlement et, dans le cas d'un accord signé avec une autorité religieuse, soumise à l'Université.

Ces deux corps sont farouchement « gallicans » : attachés aux libertés traditionnelles de l'Église, ils rejettent toute autorité de Rome sur les affaires françaises. Les parlementaires voient dans le concordat une porte ouverte à l'ingérence du pape : il perçoit en effet des taxes à chaque nomination, et peut indirectement imposer ses propres candidats. Garants des mêmes valeurs gallicanes, les docteurs en théologie de l'Université prétextent des vices de procédure pour refuser le concordat. Selon eux, il risque de favoriser les courtisans, au détriment des étudiants et docteurs en théologie, seuls compétents en matière religieuse. Passant outre ces oppositions, François Iᵉʳ fait enregistrer le concordat de force, le 22 mars 1518.

1517 - Les 95 thèses de Luther

**Martin Luther
(1483-1546).**
*Le grand réformateur place au centre de sa doctrine le salut par la foi et l'autorité des Écritures.
(Lucas Cranach, Florence, galerie des Offices)*

Né en 1483 à Eisleben en Thuringe, Martin Luther poursuit d'abord des études de philosophie, avant d'entrer, en 1505, dans l'ordre des Augustins. Ordonné prêtre en 1507, il étudie ensuite la théologie à la nouvelle université de Wittenberg où il est nommé à une chaire d'enseignement biblique. Sous l'influence des humanistes, il prône une étude directe de la Bible. Ses commentaires des textes bibliques trouvent un prolongement dans les prêches qu'il donne dans l'église de la ville. Mais le conflit avec l'Église romaine éclate à l'occasion de l'indulgence que le pape décrète pour financer la reconstruction de la basilique Saint-Pierre. Luther est scandalisé par les propos extravagants du prédicateur Tetzel, qui pratique le trafic de cette indulgence au service de l'archevêque de Mayence. Le 31 octobre 1517, il écrit à ce dernier dans le but de faire cesser l'opération et y joint ses Quatre-Vingt-Quinze Thèses « sur la vertu des indulgences ». Les a-t-il affichées à la porte de l'église du château de Wittenberg ? L'acte n'est pas attesté avec certitude. Mais il est sûr que les thèses, destinées à être imprimées, firent sensation lors de leur publication à la fin de l'année. Dénoncé pour hérésie, Luther est convoqué à Rome. Or l'électeur Frédéric de Saxe le couvre et le procès est reporté. Luther refuse de se rétracter. Lors de la dispute de Leipzig, en 1519, il nie l'autorité papale, mais aussi celle des conciles. La rupture avec Rome est accomplie. L'année suivante, Luther publie le *Manifeste à la noblesse allemande*, *Captivité à Babylone* et le *Petit Traité de la liberté humaine*, dans lesquels il expose son programme de Réforme. Excommunié et mis au ban de l'Empire en 1521, il se retire au château de la Wartburg pour traduire la Bible et pour organiser l'Église qui portera son nom.

La Cène, par Lucas Cranach.
*Le peintre a fait figurer Luther et Melanchthon aux côtés du Christ.
(Église paroissiale de Mildensee)*

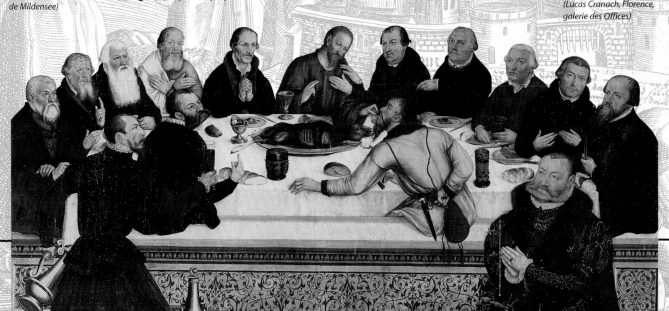

Les voyages

Le moyen de transport le plus répandu est le cheval. Depuis Paris, il faut 2 jours de voyage jusqu'à Amiens, 8 à 10 jusqu'à Lyon, 16 à 20 jusqu'à Marseille. Les dames sont transportées dans des litières, jusque vers 1550. Charrettes et chars sont utilisés pour les marchandises. Les fleuves et les rivières sont également des voies très empruntées, et plus sûres que les routes où sévissent des bandits de grand chemin. Les « plattes », grandes barques pontées munies d'une voile mais manœuvrées à la rame, parcourent en une journée de 35 à 90 km sur la Loire ou le Rhône, et 15 à 20 km seulement à contre-courant. Les moins fortunés, eux, voyagent à pied et font de 20 à 30 km par jour, changeant de souliers environ toutes les deux semaines.

Le couronnement ▲ de la reine (10 mai 1517). Il précède le voyage de la Cour à travers la France. (Paris, B.N.F.)

Le port de Rouen ▶ en 1525. Rouen est la troisième ville du royaume. (Rouen, Bibliothèque municipale)

LE TOUR DE FRANCE

Le 10 mai 1517, la reine Claude est couronnée à Saint-Denis. Deux jours plus tard, elle fait dans Paris une entrée magnifique, comparable à celle de François deux ans plus tôt. Puis, au cours du printemps, le couple royal se met en route pour visiter le royaume.

LES JOYEUSES ENTRÉES

Le tour de France est une tradition de la monarchie française : le roi acquiert ainsi une connaissance directe du pays et resserre les liens avec ses représentants dans les provinces et avec ses « bonnes villes ». C'est également pour la plupart des Français l'unique occasion de voir leur roi revêtu des attributs de la majesté.

La Cour en déplacement déploie en effet un faste extraordinaire, reflet de la puissance royale. Dans chaque ville d'étape, le roi fait sa « joyeuse entrée » : les autorités locales organisent sur son passage des spectacles qui rappellent les vertus et les qualités du souverain, voire le comparent aux héros de l'Antiquité. C'est à cette époque qu'apparaissent les chars ornés, les statues équestres et les arcs de triomphe, qui font du roi l'égal des empereurs romains. Ensuite, a lieu la céré-

monie de remise des clefs par les échevins, acte d'allégeance de la ville, à qui le souverain renouvelle ses libertés et ses privilèges particuliers. La Cour représente alors 3 000 à 4 000 personnes, qui cheminent difficilement sur de mauvaises routes, poussiéreuses en été, boueuses en hiver. S'y côtoient la famille royale, les officiers de la Maison du roi, les membres du Conseil et une très nombreuse domesticité. Le souverain voyage avec tout son mobilier démontable, sa vaisselle d'or et d'argent et ses tapisseries. La noblesse et les villes sont tenues de le loger : même s'il trouve parfois refuge dans un couvent ou une auberge, il couche le plus souvent au château d'un courtisan, d'où la présence d'une « chambre du roi » dans nombre d'entre eux.

EN PICARDIE ET EN NORMANDIE

François fait étape chez des compagnons de longue date. Sur la route de Picardie, il s'arrête à Écouen chez Guillaume de Montmorency, père de son ami d'enfance. Il passe à Compiègne, à Amiens, où il se recueille devant les reliques de saint Jean-Baptiste, Abbeville, Boulogne puis poursuit son périple vers la riche Normandie, joyau du domaine royal.

Un cortège princier ▲
au XVIe siècle.
Une cour en déplacement
est alors une immense
caravane, entourée d'un
faste extraordinaire.
(Sienne, Archives de l'État)

À Rouen, troisième ville du royaume et grand port de commerce, le corps de ville prépare une entrée grandiose. Parmi les tableaux symboliques, un théâtre représente le combat victorieux de la salamandre, emblème de François, contre l'ours helvétique et le taureau de Milan, rappelant le récent succès du roi en Italie. Dans un univers où l'illettrisme est le lot du plus grand nombre, ces images sont comprises par tous. Une halte auprès des États de Normandie permet au roi de solliciter des représentants de la province une aide financière. Sur le chemin du retour vers le Val de Loire, une halte s'impose au château du cardinal d'Amboise, Gaillon, et à Argentan, où réside Marguerite, la sœur du roi.

LA NAISSANCE DU DAUPHIN

Le 28 février 1518, à Amboise, la reine Claude accouche d'un fils, pour le plus grand bonheur du roi et le soulagement de Louise de Savoie, inquiète de l'absence d'un héritier du trône. Le dauphin reçoit le prénom de François. On chante dans les cathédrales des *Te Deum* d'actions de grâces et l'on vient de tout le royaume pour l'admirer, au point que l'accès à la chambre de l'enfant doit être réservé aux membres de la famille royale et aux personnes ayant une autorisation écrite. Des fêtes grandioses sont organisées dans les villes le jour de son baptême, à Pâques de la même année. C'est peut-être à cette occasion que le roi prend pour maîtresse une très belle jeune femme, Françoise de Châteaubriant.

LE VOYAGE DE BRETAGNE

En mai 1518, le tour de France reprend en direction de l'ouest. Il s'agit de visiter la Bretagne, province indépendante. La reine Claude, à qui elle appartient, fait les honneurs de son duché au roi et à la Cour. Elle a décidé que le petit dauphin serait son héritier en Bretagne, et l'été et l'automne sont consacrés à la visite des villes de cette province : Nantes, Vannes, Auray, Quimper, Saint-Malo, Rennes.

À la Toussaint 1518, la cour de France regagne Paris. Ce petit tour du royaume a servi la monarchie. François l'a mis à profit pour réaffirmer son autorité sur la noblesse provinciale et pour nouer des liens avec les représentants locaux du pouvoir royal. Il a su, également, obtenir des provinces des contributions financières, qui serviront ses ambitions diplomatiques.

Françoise de Châteaubriant (1495-1537)

Issue de l'illustre maison de Foix, Françoise de Châteaubriant (*ci-desssus, Paris, B.N.F.*) est mariée très jeune à Jean de Montmorency-Laval, un proche d'Anne de Bretagne.
Il semble qu'elle ait été présentée au roi en 1518, lors du baptême du dauphin. Devenue la maîtresse de François Ier, elle échange avec lui des poèmes. Elle utilise sa position pour promouvoir à de hautes charges militaires ses frères, Lautrec, Lesparre et Lescure, qui se révèlent des généraux médiocres. Le déclin de sa faveur commence en 1526, quand le roi s'éprend de sa blonde rivale, Anne de Pisseleu. Françoise se retire alors auprès de son mari, gouverneur du duché de Bretagne, mais reste jusqu'à sa mort une amie fidèle du souverain.

1518-1521

Un royaume renaissant

Le roi guérisseur. ▶
Après son sacre,
le roi de France
(ici Henri II, fils de
François Ier) guérit les
malades des écrouelles
par le toucher.
(Paris, B.N.F.)

FRANÇOIS « EMPEREUR EN SON ROYAUME »

En 1519, quatre ans après l'avènement de François Ier, le juriste Claude de Seyssel publie et dédie au roi *La Grand-Monarchie de France*. Il décrit dans ce traité la royauté française du début du XVIe siècle : une monarchie absolue, mais tempérée par l'action des grands corps, une société hiérarchique, où le talent et la fortune offrent cependant une possibilité d'ascension. L'action du roi s'inscrit dans ce cadre politique et social. Son règne, tout en imprimant une forte marque à l'exercice du pouvoir royal, doit tenir compte des réalités françaises.

LES POUVOIRS DU ROI

Le pouvoir du roi repose sur trois fondements théoriques. Depuis les Capétiens, il est le « très chrétien », le défenseur de la foi, à l'image des rois d'Israël, David et Salomon. Le sacre et le pouvoir de guérison qu'il confère sont les marques de ce sacerdoce. Le roi est également la tête de la société féodale : il se situe au sommet de la pyramide des vassaux. Enfin, depuis le XIVe siècle, sous l'impulsion des juristes de droit romain, le roi est considéré comme l'incarnation de l'État. Il exerce sur ses sujets son *imperium*, un pouvoir très

fort, à la fois civil et militaire, détenu dans la Rome antique par les hauts magistrats de la République, puis par les empereurs. D'où la formule, « Le roi est empereur en son royaume » : il ne reconnaît en France d'autre souverain que Dieu. Ce triple fondement – religieux, féodal et juridique – de la royauté confère à son détenteur un pouvoir apparemment sans bornes : lui seul fait les lois, crée les offices, arbitre entre paix et guerre, bat monnaie...

L'IMAGE DU ROI

Ce pouvoir absolu a besoin d'images fortes pour se faire accepter. François Ier recourt avec talent aux symboles : le dauphin généreux et vigoureux, la salamandre aux attributs magiques et, plus tard, le robuste éléphant. Le roi se fait représenter dans des portraits devenus célèbres : vers 1526 en buste, probablement par Jean Clouet ; dans les années 1530, par deux fois, à cheval, par le même peintre ou par son fils François. Ces représentations s'inscrivent dans la vogue européenne du portrait de cour, inspirée par un modèle fameux du XVe siècle, le *Charles VII* de Jean Fouquet. On pense aux œuvres de Raphaël et du Titien, connues de François et de ses por-

◀ *Le collège des notaires et secrétaires du roi.*
Ils rédigent et authentifient les actes royaux, au sein de la Grande Chancellerie.
(Paris, Bibliothèque de l'Arsenal)

▼ *La Chambre des comptes de Paris.*
L'administration financière joue un rôle-clé dans l'État, car les nombreuses guerres du roi nécessitent des fonds importants.
(Paris, Archives nationales)

Le parlement de Paris

Cour de justice du roi, le Parlement traite en appel les causes évoquées devant les justices locales, au civil et au criminel (*ci-dessus, jugement de criminels, Paris, B.N.F.*). Établi et organisé définitivement en 1302, il couvre un ressort immense, de la Picardie jusqu'au Lyonnais et à l'Auvergne, en englobant le Poitou, l'Angoumois et la Champagne. En 1515, François Ier crée la Tournelle, une chambre spécialisée dans les affaires criminelles. Le Parlement peut également jouer le rôle d'un contre-pouvoir du gouvernement royal, car l'application des lois nécessite qu'il les ait préalablement enregistrées. Si le Parlement s'obstine à refuser l'enregistrement, le roi se rend lui-même devant les magistrats pour l'imposer, au cours d'une séance spéciale, le « lit de justice ».

traitistes : figures de *condottiere* ou de notables, sanglées dans leurs habits de pourpre, de velours et d'hermine, l'épée au côté et la barbe finement taillée. Homme de séduction, habile cavalier, brave chevalier, c'est l'image que François livre de lui-même à ses sujets, y compris dans ses années de maturité et de vieillesse.

LES GRANDS CORPS DE L'ÉTAT

Ce pouvoir du roi s'appuie sur une administration régie par le système des offices. L'office est une charge publique d'un genre particulier. Son détenteur l'exerce sans limite de temps. Il peut l'acquérir et, sous certaines conditions, la vendre ou la transmettre à un héritier. Surtout, le service anoblit, et attire par conséquent la bourgeoisie en quête d'ascension sociale. La vente – on parle de « vénalité » – des offices est un phénomène répandu, dont François Ier tire des ressources substantielles, tout en réprouvant officiellement le commerce des charges entre particuliers. Les plus dynamiques des officiers sont les notaires et secrétaires de la Grande Chancellerie de Paris, qui rédigent et authentifient les actes royaux ; le groupe des conseillers au parlement de Paris ; les tréso-riers et généraux des Finances, qui lèvent l'impôt et en garantissent la recette sur leurs revenus.

Certains officiers servent directement auprès du roi, au sein du Conseil. D'autres sont membres des cours souveraines, issues du démembrement du Conseil : Parlement, Chambre des comptes, Cours des aides, du trésor, des monnaies. Ces juridictions existent à Paris et dans les principales villes du royaume. Leurs membres sont élus par leurs pairs puis présentés au roi. François Ier augmente le nombre de ces officiers, sans modifier une infrastructure mise en place à partir du XIIIe siècle.

LES FREINS DE L'ABSOLUTISME

Le pouvoir du roi est limité, à la fois par les traditions de la monarchie et par les contraintes de l'appareil administratif. Le roi doit tenir compte des lois fondamentales du royaume, qui sont intangibles. Le roi se situe au-dessus des lois, mais il doit

Jacques Galiot de Genouillac. ▼ Grand maître de l'artillerie, il est issu de la noblesse d'épée, comme nombre de grands officiers de la Couronne.
(Chantilly, musée Condé)

Philippe Babou ▲ *de la Bourdaisière.* Trésorier de l'Épargne, il est responsable des « finances ordinaires», revenus provenant de l'impôt et du domaine royal.
(Chantilly, musée Condé)

gouverner en prenant conseil. Il doit être catholique. Il ne peut aliéner le domaine royal. Ses successeurs peuvent remettre en cause ses décisions. Enfin, la loi « salique » exclut les femmes de sang royal et leurs descendants de la succession au trône. D'autres règles sont des traditions issues de la pratique du pouvoir, comme l'impossibilité d'abdiquer, la fixation de la majorité royale à 14 ans ou la tradition de confier la régence à un homme en cas de minorité du souverain. François Ier tente de se libérer de ces freins. Il promeut la formule « ci veut le roi, ci veut la loi », imposant sa volonté contre les lois fondamentales, voire à l'encontre du droit privé des coutumes, sur lequel il n'a pas de pouvoir.

Le système des offices pose à François d'autres problèmes. Les officiers sont des serviteurs indispensables. L'accroissement de leur nombre fait pièce à l'aristocratie indisciplinée des grands lignages et des princes du sang, sans compter les profits retirés de la vente d'offices. Cependant, les grandes familles d'officiers ne manquent pas de développer un esprit de corps qui entrave l'action royale. François n'hésite pas à les circonvenir. Il retire certaines affaires judiciaires aux parlements pour les évoquer directement devant son Conseil. Il charge de missions temporaires des commissaires qu'il nomme et révoque à son gré. Le roi se décharge sur les officiers des affaires de l'État, mais il n'entend nullement partager son pouvoir. Il peut, s'il le désire, poursuivre ses serviteurs, confisquer leurs biens ou les faire condamner à mort.

LES OFFICIERS

Le groupe des officiers n'est pas homogène. Les « officiers de la Couronne », les plus proches de la personne royale, sont nobles d'emblée, d'épée le plus souvent. Le chancelier, le connétable, les maréchaux, le grand maître de la Maison du roi, le grand chambrier, le grand maître des eaux et forêts en font partie, mais s'y agrègent souvent d'autres officiers de la Maison du roi. Les charges de grand maître de l'artillerie et de grand écuyer, par exemple, sont confiées à Jacques Galiot de Genouillac, issu d'une vieille famille du Quercy.

Mais la grande nouveauté du règne est l'ascension sans précédent de la noblesse de robe, ainsi nommée à cause de son costume (de riches robes de velours). Ces bourgeois accèdent parfois aux plus hautes charges de l'État et fondent de véritables dynasties. Leur destinée est parfois extraordinaire : Philibert Babou de la Bourdaisière, fils d'un petit notaire du Berry, accède à la noblesse par l'achat d'un office de secrétaire du roi, et devient trésorier de l'Épargne et surintendant des bâtiments royaux. Les officiers de robe sont au cœur de la Renaissance française. Certains sont humanistes, comme Guillaume Budé, secrétaire du roi, puis maître des requêtes du Conseil. Beaucoup se font mécènes, collectionneurs et bâtisseurs, comme le secrétaire Florimond Robertet à Bury ou le trésorier Jean Duval à Montceaux et Dampierre. En cela, ils imitent François Ier, dont le début de règne est marqué par le lancement de grands chantiers et l'accroissement des collections royales.

1520 - « Noche Triste » à Mexico

Hernán Cortés (1485-1547).
Son expédition inaugure la colonisation espagnole du continent américain.

L
e 30 juin 1520 à Tenochtitlán, le dernier empereur aztèque, Montezuma, est mortellement atteint d'une pierre à la tempe en voulant calmer la révolte de son peuple. Les conquistadors espagnols manquent de perdre leur conquête de l'année précédente.
En 1519 le gouverneur de Cuba lance un ambitieux conquistador, Hernán Cortés, à la conquête du Mexique. Cortés rejette sa tutelle et fonde le port de Vera Cruz. Allié aux ennemis des Aztèques, il traverse les hauts plateaux jusqu'à la capitale, Tenochtitlán. Il est accueilli par l'empereur Montezuma, qui voit en Cortés et sa poignée d'hommes le dieu Quetzalcóatl dont la légende annonce le retour.
Pris en otage, Montezuma devient le jouet des conquérants. Le 23 mai 1520, en l'absence de Cortés, son lieutenant massacre la noblesse aztèque. À son retour, Cortés trouve la ville insurgée. Durant la « Nuit Triste » du 30 juin, les Espagnols forcent Montezuma à haranguer ses sujets pour ramener la paix. En vain : ils sont obligés de fuir, croulant sous l'or et les pierreries. Cortés reprendra la ville en août 1521, la rasera et élèvera sur ses ruines Mexico, capitale de la Nouvelle-Espagne.

L'arrivée de Cortés au Mexique.
Le conquistador aborde près de Vera Cruz en février 1519. (Codex aztèque, Paris, B.N.F.)

François Iᵉʳ collectionneur

Dès le début de son règne, François Iᵉʳ se montre un collection-
neur passionné d'œuvres d'art. Tout est prétexte à enrichir la
collection de ses prédécesseurs : attirer des artistes à sa cour,
charger des agents italiens d'acquérir tableaux, sculptures et
objets rares ou d'exécuter des copies d'œuvres antiques. À cela
s'ajoutent les cadeaux diplomatiques des princes étrangers.

FRANÇOIS Iᵉʳ RECEVANT
« LA GRANDE SAINTE
FAMILLE » DE RAPHAËL.
L'amitié du pape Léon X
permet au roi d'acquérir
en 1518 des œuvres de
Raphaël, le plus prestigieux
des artistes au service de
la papauté, notamment
la Sainte Famille, le Saint-
Michel ou le Portrait de
Jeanne d'Aragon.
(Rouen, musée
des Beaux-Arts)

SAINT MICHEL
TERRASSANT LE DÉMON,
PAR RAPHAËL.
Léon X offre cette toile
à François Iᵉʳ en 1518.
L'archange Michel,
protecteur des rois de
France, symbolise
l'alliance de François Iᵉʳ
et de la papauté.
(Paris, musée du Louvre)

VÉNUS GÉNITRIX.
Ce marbre romain du Iᵉʳ
siècle av. J.-C., réplique
d'une statue du Grec
Callimaque, arrive à
Amboise en 1530.
Cadeau du condottiere
Renzo da Ceri, la statue
émerveille les contem-
porains et inspire de
nombreux poètes.
(Paris, musée du Louvre)

LA BELLE FERRONIÈRE, *PAR LÉONARD DE VINCI.* Les Français n'ont pas attendu l'arrivée de Léonard en 1517 pour acquérir ses œuvres. Il semble que ce portrait d'une dame milanaise ait été acheté par Louis XII pour les collections de Blois et reçu en héritage par François Iᵉʳ. *(Paris, musée du Louvre)*

L'ESCLAVE MOURANT, *DE MICHEL-ANGE.* L'artiste florentin promet d'envoyer trois sculptures au roi, fasciné par son œuvre. *L'Esclave mourant* arrive seulement en 1550, trois ans après la mort du roi. Henri II l'offre alors au connétable de Montmorency, qui l'installe à Écouen. *(Paris, musée du Louvre)*

NOLI ME TANGERE, *PAR FRA BARTOLOMEO.* Les œuvres de Fra Bartolomeo, peintre florentin entré dans les ordres, étaient appréciées dès le début du xviᵉ siècle. Ce *Christ et la Madeleine* faisait certainement partie de la collection de Louis XII. *(Paris, musée du Louvre)*

Blois, la façade des loges.
Exécutée en 1515-1516 par des
maçons français, elle est inspirée
des loggias de Bramante
au Vatican. ▼

LA COUR DE FRANCE

Dès 1515, François Ier s'est attaché à l'organisation de sa cour et de ses résidences. De 1518 à 1522, la fin du tour de France et la paix extérieure lui permettent d'engager une politique ambitieuse. La Cour est une grande famille, qui rassemble les parents et compagnons du roi dans une intimité de bon aloi. C'est aussi un outil de gouvernement et une micro-société où s'affrontent violemment les intérêts divergents des groupes de pression. Ne l'appelle-t-on pas, d'ailleurs, « la compagnie » ?

LE DÉCOR DE LA COUR

La Cour loge dans les châteaux royaux. Y avoir sa chambre, même sous les combles, est un honneur qui n'est pas donné à tout le monde. C'est le roi qui en décide expressément et la décision est confirmée par écrit à l'heureux titulaire. Le roi fréquente d'abord le Val de Loire – il se rapprochera de Paris après 1526. De 1515 à 1518, en dehors des voyages dans les provinces françaises, François Ier demeure à Amboise, cadre de fêtes sublimes. Il y poursuit la politique de travaux entreprise par ses prédécesseurs. Tout un étage est ajouté à l'aile Louis XII, et la façade s'orne d'un gracieux décor de pilastres.

Dès 1515, François fait également reconstruire une aile entière du château de Blois. Au-dessus des jardins, une équipe française élève une façade de loggias, rythmée par des pilastres, qui s'inspire sans doute de l'œuvre de Bramante au Vatican ou du palais ducal d'Urbino. Mais le chef-d'œuvre est l'escalier monumental de la cour intérieure. Décoré de fleurs et de fruits, il est d'inspiration florentine, mais d'exécution française.

Très tôt se fait sentir chez le jeune souverain le besoin de donner corps à son image par une construction qui serait totalement sienne. Le site choisi est celui de Chambord, une plaine couverte d'une forêt giboyeuse. On attribue à Léonard de Vinci la paternité spirituelle du nouveau château, dont les premiers plans sont dessinés par l'architecte italien Dominique de Cortone. Commencé l'année même de la mort de Léonard, en 1519, Chambord ne sera achevé qu'en 1540, et constituera le morceau de bravoure du règne.

LES PROCHES DU ROI

François est en premier lieu le chef d'un clan. Avec lui ont accédé au pouvoir ses amis de jeunesse, sa mère, les proches de sa mère et sa sœur. Bien que les frères de sa première maî-

◄ *L'escalier à spirale du château de Blois. L'escalier monumental est la pièce maîtresse des modifications apportées au château entre 1515 et 1524.*

◄ *Un couple galant. Les dames, la chasse et les banquets constituent les préoccupations majeures des courtisans.* (Paris, musée du Louvre)

affaires impliquant des fonctionnaires royaux et des litiges entre les divers parlements. C'est d'ailleurs de ce corps que sont issus les parlementaires.

LES COURTISANS

La noblesse se rassemble à la Cour, où elle tient un rôle de représentation, dans l'espoir d'avancer dans la faveur royale. Elle se met ainsi dans la dépendance du monarque. La plupart des nobles ne peuvent y assurer une présence permanente, soit pour des raisons financières, soit parce qu'ils sont accaparés par la construction de leurs châteaux et par leurs charges militaires. Du moins s'efforcent-ils d'y faire des séjours réguliers, car il faut y être vu. Les courtisans sont d'ailleurs la « vitrine » du roi. Les « très humbles serviteurs » qu'ils prétendent être reviennent dans leurs provinces tout auréolés du prestige de leur séjour à la Cour.

Le roi fait régner une ambiance agréable, parlant à tous, donnant des fêtes, des tournois et des lectures de poésie où il s'efforce de versifier avec galanterie. « On ne pense ici qu'à la chasse, aux banquets, aux dames, à changer de logis », écrit en 1539 un diplomate florentin. À l'étiquette se mêle encore un esprit de bonhomie car les châteaux de François ne sont pas le Versailles de Louis XIV. Le roi est très accessible. À son lever assistent les princes, les grands seigneurs et des gentilshommes, auxquels le roi s'adresse volontiers en personne. Messe, promenades, jeux de lance ou d'épée, parties de chasse, rythment la journée du monarque entre les séances de travail et sont autant d'occasions de se rapprocher des membres de la Cour. On va, on vient, on passe et repasse, cherchant à connaître les dernières nouvelles. De nouvelles amitiés et des intrigues s'y nouent. Qui ne désirerait une pension ? Qui ne

tresse, Françoise de Châteaubriant, aient reçu de hauts commandements militaires, le roi a toujours eu la sagesse de séparer ses amours des affaires de l'État. Il ne fait siéger au Conseil aucune de ses maîtresses. Madame Louise en serait d'ailleurs offusquée, elle qui tolère de mauvais gré les écarts de conduite de son galant fils et qui protège sa belle-fille.

Claude, la bonne reine, a en effet la réputation d'être vertueuse et aimable, mais sa mélancolie n'est pas du goût de son royal époux. On la respecte pour avoir donné cinq enfants au roi, dès le début de son mariage. François lui préfère cependant la compagnie de ses maîtresses, Françoise de Châteaubriant, puis Anne de Pisseleu, les « myes du roi ». On craint et on admire Louise de Savoie, pour son influence auprès de François. Quant à la généreuse Marguerite d'Alençon, sœur du roi, protectrice des artistes et poètes, elle sait se faire aimer de tous.

La Cour est aussi un outil de gouvernement. C'est là que se tient le Conseil du roi, assemblée des grands conseillers du monarque. Y siègent les princes du sang, les ducs et pairs, les administrateurs des provinces, des représentants de la noblesse et du clergé. On y entre par la volonté du roi. À la Cour se trouve aussi le Grand Conseil, corps juridique chargé des

▼ *Anne de Montmorency entouré de courtisans. Grand maître en 1526, le futur connétable est l'un des hommes les plus influents de la Cour.* (Chantilly, musée Condé)

rêve d'une charge de valet de chambre qui permet d'approcher le roi, voire d'une admission parmi les dames d'honneur des princesses de sang ? Or, ces faveurs s'obtiennent si l'on connaît un proche du souverain.

LES INTRIGUES DE COUR

Les groupes de pression que constituent la clientèle des princes et des grands officiers forment un réseau serré. Que le protecteur tombe en disgrâce et, vite, il faut se remettre en quête d'un nouveau patron. Rabelais a décrit ce système de petites obligations, qui revêt un caractère alimentaire indéniable pour les poètes de cour et les intellectuels qui ne sont pas issus de la noblesse. Mais, toutes choses égales d'ailleurs, à la Cour, chacun a besoin d'un protecteur, y compris les abbés, évêques et officiers.

Un instant de faiblesse du roi, une absence du royaume, et c'est la guerre des clans. Celle, par exemple, qui oppose le connétable de Bourbon, cousin du roi, au bâtard de Savoie, oncle de François Ier. Chacun, dans la famille royale, parmi les grands officiers et les ministres, a ses protégés. Depuis la mort en 1519 d'Artus Gouffier, seigneur de Boisy, ancien

gouverneur du roi et grand maître de la Maison du roi, son frère Guillaume de Bonnivet est la nouvelle étoile montante. Il a reçu de François dons et charges prestigieuses, notamment celle d'amiral de France en 1517, ce qui lui attire une importante « clientèle ». Le chancelier Duprat, le secrétaire Robertet ont aussi leurs protégés. Après la disparition de Bonnivet en 1525, Anne de Montmorency et Philippe Chabot de Brion autres compagnons d'enfance du roi, voient leur influence croître.

LA MAISON DU ROI

C'est la Maison du roi qui a pour mission d'organiser la vie quotidienne du souverain et de ceux qui l'entourent. À sa tête, le grand maître de France : Artus Gouffier de Boisy, auquel succèdent en 1519 l'oncle de François, René de Savoie et, en 1526, Montmorency. Sa mission est d'importance, car la cour de François Ier est plus nombreuse que celle de ses prédécesseurs : elle peut compter, en des occasions exceptionnelles, jusqu'à dix mille personnes. Parmi le personnel nombreux, réparti en plusieurs départements, on distingue trois fonctions principales. La Chapelle satisfait les besoins spirituels de la Cour. La Chambre, dirigée par le grand chambrier, assure le lever, le coucher, la toilette du roi, et veille à l'ameublement. L'Hôtel prend soin de la table royale. À côté de cette organisation, des structures militaires assurent la sécurité du souverain : la garde écossaise, les trois cents archers de la garde et les deux cents gentilshommes de l'Hôtel.

L'entrée dans la Maison du roi est l'ambition des courtisans venus de province, car toutes ces charges reviennent à des membres de la noblesse, d'extraction plus ou moins illustre, suivant l'importance de leur fonction et la proximité du roi.

◄ *Amboise, l'aile Louis XII.*
François Ier, installé à
Amboise de 1515 à 1518,
a fait surélever d'un étage
l'aile de son prédécesseur.

▼ *Détail d'une cheminée*
au château de Blois.
La salamandre, l'emblème
de François Ier, est
omniprésente
dans les décors.

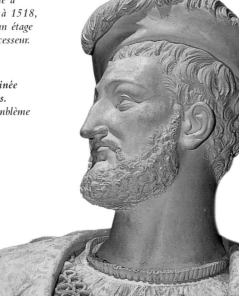

▼ *Buste de François Ier.*
L'image du roi, dont
les contemporains
louent la beauté, est
partout répandue.
(Blois, musée
du Château)

François chasseur

Homme d'action, le roi est un grand chasseur. La Cour entretient jusqu'à 500 faucons, qui épuisent rapidement le gibier des alentours, contraignant le roi à changer fréquemment de résidence. François Ier aime pardessus tout la vénerie ou chasse à courre, traque organisée dont le déroulement s'apparente à celui d'une bataille rangée *(ci-dessous, la curée, détail des Chasses de Maximilien, Pau, musée du Château)*. Elle inspire au compositeur Janequin sa chanson *La Chasse*, description d'une traque au cerf en forêt de Fontainebleau, avec son ballet de chiens, veneurs et rabatteurs.

Ce sport violent n'est pas sans danger. Depuis son enfance, François est souvent victime d'accidents de chasse. En février 1518, lors d'une partie, il tombe de cheval et reste deux jours inconscient.

LE RITUEL DE COUR

La Cour fonctionne selon un rituel strict, organisé autour des temps forts de la journée royale : les repas et la chasse. Entre ces repères, place à la musique et aux poèmes chantés, aux bals (parfois plusieurs dans la même semaine), aux conseils informels, aux visites d'ambassadeurs. Les officiers de la Maison du roi assurent le service quotidien du monarque et de la Cour : grand aumônier, grand panetier, échanson, fauconnier, écuyer, veneur. L'art de la table se développe. La cour de Bourgogne, au XVe siècle, a répandu l'idée que le repas du prince est aussi sacré que la Cène. François mange en public, seul, mais il peut convier à sa table des proches ou des visiteurs de marque. Chacun y a sa place. Celle du roi est située sur un petit côté de la table, surélevée et marquée par des coussins et des tapis. Chaque officier de bouche est à la tête d'une cinquantaine d'officiers subalternes. Les panetiers et échansons ont la responsabilité des nappes et serviettes et servent le pain et le vin. Ils sont suivis par les écuyers tranchants, pour la viande, servie en abondance, et par les fruitiers. Le sommelier fait l'essai de la nourriture, pour vérifier qu'il ne s'y trouve aucune substance nocive. La Renaissance est le siècle des poisons, et l'on emploie des moyens pittoresques pour la protection du souverain : on trempe, par exemple, une corne de licorne dans la boisson. La vaisselle, d'argent doré, est disposée en abondance. Les convives boivent dans des coupes à godrons en métal précieux, les « hanaps », ou dans des gobelets en verre décorés de pastilles de couleur. On apporte le gobelet du roi au dernier moment. D'autres ornements complètent le tableau : conques et coquillages, petites sculptures, coraux montés en pièces d'orfèvrerie, ou encore les deux « nefs » qui, dès le Moyen Âge, contenaient les couverts personnels du roi et la petite salière. Progressivement, ils ne servent plus qu'à la décoration de la table.

La table du prince

Dès la fin du Moyen Âge, les objets et les rites de la table prennent une importance considérable. Le repas du prince, jusqu'alors inspiré par le rituel religieux, devient une cérémonie laïque, où gestes soigneusement réglés et accessoires raffinés concourent à l'exaltation du souverain.

AIGUIÈRE.
Le décor de la vaisselle est souvent d'inspiration mythologique. (Paris, musée Carnavalet)

UN DÎNER PRINCIER.
Cette tapisserie des Flandres (Le Dîner du général) montre le raffinement progressif des ustensiles de table : plats en métal, verres, salières. Les convives, en revanche, utilisent encore leurs doigts. (Écouen, musée de la Renaissance)

DRESSOIR À CINQ PANS.
Le dressoir sert à l'exposition permanente de la vaisselle précieuse. Il succède au XVIe siècle à des structures provisoires, les buffets. Il est en général surmonté de gradins recouverts d'une nappe ou d'un tapis. (Écouen, musée de la Renaissance)

LE SERVICE DES FRUITS.
Les serviteurs respectent
un cérémonial et une hié-
rarchie précise. Dans un
ordre réglé, ustensiles et
mets passent de main en
main jusqu'à la table du
prince. Hormis la partie
de campagne ci-contre,
les femmes en sont
exclues. Les différents
services de la bouche
(échansonnerie, viande,
fruiterie, etc.) sont une
affaire d'hommes.
(Écouen, musée
de la Renaissance)

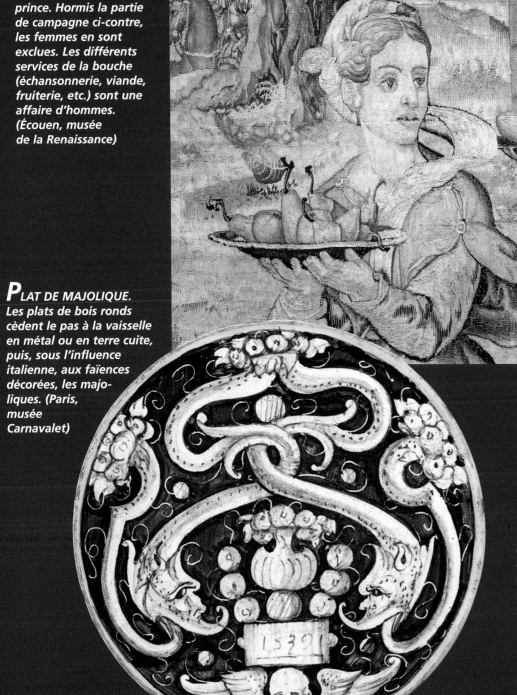

PLAT DE MAJOLIQUE.
Les plats de bois ronds
cèdent le pas à la vaisselle
en métal ou en terre cuite,
puis, sous l'influence
italienne, aux faïences
décorées, les majo-
liques. (Paris,
musée
Carnavalet)

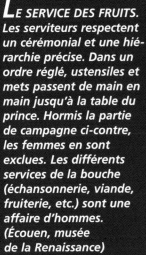

**HANAP
À COUVERCLE.**
Le hanap est une
coupe métallique
rehaussée d'entre-
lacs ou de godrons.
(Écouen, musée
de la Renaissance)

FOURCHETTE.
Les fourchettes
à deux dents,
rapportées
d'Italie, servent
à la consomma-
tion des fruits.
(Milan, musée
Poldi Pezzoli)

◀ *Charles Quint.*
Élu empereur en
1519, il devient le
plus grand rival de
François Ier.
(Budapest, musée
des Beaux-Arts)

▼ *Armoiries*
  de Charles Quint.
Le blason, aux armes
de ses nombreuses
possessions, s'inscrit
dans les deux aigles
qui marquent sa
dignité impériale.
(Gand, musée de Bylocke)

▼ *Frédéric III de Saxe.*
Électeur impérial, il
vote pour le catholique
Charles de Habsbourg,
bien qu'il soit lui-
même protestant.
(Cherbourg, musée
Thomas Henry)

ENTRE L'ANGLAIS ET L'EMPEREUR

Un roi n'est jamais tranquille bien longtemps. À peine François a-t-il fini sa tournée dans le royaume, installé sa cour et lancé les travaux de Chambord, que de nouveaux défis européens se présentent à lui. Le jeu complexe des rivalités et des alliances conduit peu à peu le vainqueur de Marignan à entrer en guerre.

LES FORCES EN PRÉSENCE

Depuis janvier 1516, le roi d'Espagne est le jeune Charles Ier de Habsbourg. Outre la péninsule ibérique, il règne sur Naples et sur les Pays-Bas. De son côté, Henri VIII d'Angleterre ne cache pas son ambition de jouer à armes égales avec les rois de France et d'Espagne. À la tête d'une puissante marine, il a, plusieurs fois, menacé la France d'invasion.
Les vieilles querelles de frontières ne sont pas résolues et la tension politique monte entre les jeunes souverains. Charles convoite la Flandre et la Picardie, Henri détient Calais et considère toujours comme sienne la couronne de France. Un événement cristallise les tensions : le 12 janvier 1519, la mort du grand-père de Charles Quint, Maximilien de Habsbourg, ouvre la succession à la couronne impériale.

LE SAINT EMPIRE

Le Saint Empire romain germanique n'est pas un État constitué, mais se compose d'un agrégat confus de villes libres et de seigneureries laïques ou ecclésiastiques, situées dans les provinces germaniques et en Italie du Nord. Pourtant l'Empereur conserve un rôle spirituel et symbolique capital : successeur de Charlemagne, il est le chef laïc de la chrétienté et l'héritier moral et politique des anciens empereurs romains. Il est élu, depuis 1356, par sept grands électeurs, dont quatre princes laïcs et trois ecclésiastiques : les archevêques de Trêves, de Mayence et de Cologne, le roi de Bohême, le margrave de Brandebourg, le duc de Saxe et l'électeur Palatin. Il est couronné une première fois à Aix-la-Chapelle. Il peut alors porter, avec l'autorisation du pape, le titre d'« empereur des Romains ». Mais le véritable couronnement impérial doit avoir lieu à Rome des mains mêmes du pape. Plus qu'une autorité politique, la cérémonie romaine confère à l'Empereur une prééminence morale sur les autres souverains.
Les électeurs ne sont pas tenus de choisir un Allemand, ni même un parent de l'empereur précédent. Cependant, les Habsbourg, par leur habileté, ont su maintenir la couronne

◀ *Henri VIII embarque*
pour le camp du
Drap d'Or (1520).
Le roi d'Angleterre
traverse la Manche le
31 mai, à la rencontre
de François Ier.
(Paris, musée de la Marine)

Le chancelier Gattinara

Le principal conseiller de Charles Quint est le chancelier Mercurino Arborio di Gattinara (1465-1530). Magistrat de formation, cet Espagnol d'origine italienne sert d'abord en Franche-Comté et aux Pays-Bas, où il assiste la régente Marguerite d'Autriche, tante de Charles Quint. Après l'élection de Charles en 1519, Gattinara devient son conseiller puis accède au titre de chancelier impérial. Homme d'autorité, il soutient une diplomatie de force, qui exalterait le prestige de l'Empire et qui concourt à l'affrontement avec François Ier. Il est créé cardinal de l'Église en 1529.

dans leur famille depuis le XVe siècle. L'Empereur peut faire élire de son vivant un successeur, qui reçoit le titre de « roi des Romains ». Maximilien a tenté de le faire pour son petit-fils Charles, mais il a échoué. La compétition de 1519 s'annonce donc vive. Charles de Habsbourg, François Ier et Henri VIII ont en effet décidé de se lancer dans la course.

LA COURSE À L'ÉLECTION IMPÉRIALE

Dès 1517, François a prévu la mort de Maximilien et n'a pas ménagé cadeaux et promesses aux électeurs. Il a décidé de consacrer à l'élection le produit d'une année de la taille. Mais, en 1519, les soutiens du roi de France semblent bien minces. En face, Charles dispose de l'influence de sa famille. Son grand-père a de longue date tissé des réseaux efficaces, tandis que sa tante Marguerite attise la haine des électeurs contre les Français : fiancée dans son enfance au roi Charles VIII, elle n'a pas oublié sa répudiation en 1491 au profit d'Anne de Bretagne.

La propagande des Habsbourg s'avère efficace : tracts et sermons montent l'opinion publique allemande contre le Valois. Mais le véritable champ de bataille est financier : François et Charles achètent les votes des électeurs à coup de centaines de milliers de florins et d'écus, sommes phénoménales que l'on transporte dans des conditions rocambolesques. Charles dépense, dit-on, 851 000 florins, dont les deux-tiers lui auraient été avancés par Jacob Fugger, un banquier d'Augsbourg dont la maison est fidèle aux Habsbourg de longue date. François n'aurait, paraît-il, déboursé que la moitié de cette somme. Quant à Henri VIII, il abandonne vite la compétition, faute de moyens financiers suffisants. Les intrigues de Marguerite et l'argent des Fugger ont raison des

dernières hésitations. Même le duc de Saxe Frédéric III, protecteur de Luther et principal soutien de la Réforme allemande, vote pour le très catholique roi d'Espagne. Charles est élu empereur à l'unanimité le 28 juin 1519.

Il devient Charles V, plus connu sous le nom de Charles Quint. L'élection impériale place naturellement Henri VIII d'Angleterre en position d'arbitre entre François Ier et Charles Quint. Il importe donc au roi de France de circonvenir l'Anglais au plus vite. Des négociations de paix avaient été menées en 1518 ; elles prévoyaient le mariage de Marie, fille d'Henri VIII, avec le petit dauphin François. Mais la rencontre entre les deux souverains n'avait pu avoir lieu, François étant entièrement occupé par la course à l'élection impériale. On convient donc d'un nouveau rendez-vous près de Calais. Le 31 mai, Henri VIII embarque à Douvres avec une suite somptueuse.

LE CAMP DU DRAP D'OR

Henri VIII ne se rend pas à la rencontre de François sans arrière-pensées. Il est le parent de Charles Quint, dont il a épousé la tante, Catherine d'Aragon. De plus, son principal conseiller, le cardinal Thomas Wolsey, compte sur l'appui de l'Empereur pour être élu pape. Aussi Henri reçoit-il secrètement Charles avant de partir pour la France.

Wolsey organise la rencontre des rois de France et d'Angleterre au Val-Doré, non loin de Calais, alors territoire anglais. Le lieu, magnifiquement décoré, sera surnommé « Camp du

Drap d'or ». Henri et François recourent à tous les moyens pour s'éblouir l'un l'autre. François reçoit à Ardres des tentes somptueuses, couvertes de velours et de drap tissé d'or et décorées de blasons peints, remplacent le palais royal que l'on n'avait pas eu le temps de construire. Parmi celles-ci domine la tente royale, soutenue par deux mâts, tendue d'un brocart d'or semé de fleurs de lys et surmontée d'une statue du protecteur des Valois, saint Michel. Galiot de Genouillac, grand maître de l'artillerie, est chargé d'organiser le décor du camp, assisté de peintres tel Jean Bourdichon, élève du célèbre Jean Fouquet et de l'humaniste Guillaume Budé.

Henri, installé à Guînes, n'est pas en reste. Les statues d'Hercule et d'Alexandre précèdent un pavillon provisoire certes, mais édifié sur un socle de briques ; une charpente supporte des murs de toile peinte, percés de nombreuses fenêtres.

LA RENCONTRE

Du 7 au 24 juin 1520, les cérémonies, banquets et joutes de cette rencontre sont empreints d'un esprit de chevalerie. François et Henri se donnent l'accolade. Les tournois succèdent aux danses et aux soupers. Facétieux, le Valois surprend un matin le Tudor au saut du lit, créant la surprise dans le camp anglais. Les rois se seraient affrontés dans un combat au corps à corps, dont François serait sorti victorieux. C'est les larmes aux yeux que les deux rois se séparent le 24 juin, promettant de se revoir. Le Camp du Drap d'or demeure pourtant sans résultat. Henri, méfiant, ne veut pas encore s'engager. Avant de s'en retourner en Angleterre, il rencontre Charles Quint et promet de le revoir l'année suivante à Calais. La partie diplomatique est loin d'être jouée entre les trois grands souverains de l'Europe.

VERS LA GUERRE AVEC L'EMPEREUR

Depuis 1519, les relations de Charles Quint avec le roi de France se sont détériorées. Leurs ambassadeurs, Chièvres et Boisy, travaillent à les concilier, mais la rivalité du Valois et du Habsbourg relève de querelles anciennes, celles de la Bourgogne et du Milanais. Le duché de Bourgogne est partie intégrante du domaine royal français, mais Charles Quint y voit un bien patrimonial, dont Louis XI a dépouillé sa grand-mère, Marie de Bourgogne. Le duché de Milan est un fief impérial, dont Charles Quint accorde l'investiture, mais que François a conquis en 1515 sur ses détenteurs légitimes, les Sforza et qu'il entend conserver. Au début de 1521, le roi de France craint un affrontement en Milanais, où son lieutenant est le médiocre Odet de Foix, vicomte de Lautrec, qui doit son poste à sa sœur, la favorite Françoise de Châteaubriant. François entend occuper les forces ennemies loin de l'Italie. Les hostilités commencent donc sur des fronts secondaires. À la frontière de l'Empire, le seigneur de Sedan, Robert de La Marck, est envoyé contre le Luxembourg, où il est repoussé par les troupes impériales. Au sud-ouest, le roi de Navarre, Henri d'Albret, entend reconquérir la partie méridionale de son royaume, annexée

par les Espagnols en 1512. Une armée commandée par André de Foix, seigneur de Lesparre, pénètre en Navarre, mais elle est refoulée le 30 juin à la bataille d'Ezquiros.

LA FRANCE CONTRE L'EUROPE

Pendant ces premières escarmouches, François perd son plus grand soutien en Italie : dès le mois de juin, le pape Léon X s'allie secrètement à Charles Quint. La maladresse de Lautrec, dont les troupes pénètrent en territoire pontifical, donne au pape l'occasion de rendre public ce retournement. Menacé d'invasion au nord et en Italie, le roi de France peut encore croire à la médiation anglaise. En juillet 1521, le cardinal Wolsey se pose en arbitre. Il organise une conférence à Calais, avec les chanceliers français et impérial, Duprat et Gattinara. Mais les dés sont pipés : tandis que les négociations s'éternisent, l'armée de Charles Quint entre au nord-est du royaume. Le 20 août, elle s'empare de Mouzon. Trois jours plus tard, Wolsey et l'Empereur concluent l'alliance de Bruges : si aucune paix n'est atteinte avant novembre 1521, les Anglais envahiront la France. Six ans après son triomphe, le vainqueur de Marignan est pris entre deux adversaires.

▼ **Les Ambassadeurs,**
par Holbein le Jeune.
(Londres, National Gallery)

1521-1530

Le roi vaincu
Les années de crise

Charles de Bourbon ▼
(1490-1527).
*Le connétable est
l'un des plus puissants
seigneurs du royaume.*
(Collection particulière)

◀ *Suzanne de Bourbon.
Sa mort en 1521
déclenche une crise
grave entre son mari,
Charles de Bourbon,
et François Ier,
qui se disputent
son héritage.*
(Cathédrale de Moulins)

L'AFFAIRE BOURBON

La construction d'un État moderne est incompatible avec la puissance des grands seigneurs, maîtres de vastes ensembles territoriaux. François Ier en fait l'expérience avec l'affaire Charles de Bourbon.

UN VASSAL OMBRAGEUX

Charles III de Bourbon occupe une place importante auprès de François, à la fois comme prince du sang – les Bourbons descendent de Saint Louis – et comme connétable de France, commandant en chef l'armée royale. Il appartient à la branche des Bourbons-Montpensier, et il a épousé en 1505 l'héritière des Bourbons-Beaujeu, Suzanne de Bourbon, fille de Pierre et d'Anne de Beaujeu. La réunion de leurs possessions a fait de Charles le maître d'un ensemble féodal immense. Il entretient à Moulins une cour somptueuse et une administration calquée sur celle du roi.

Charles est d'un caractère taciturne et orgueilleux, qui supporte mal les brimades du roi. Nul ne conteste ses qualités militaires : il s'est distingué à Marignan, puis dans le gouvernement du Milanais. Mais Charles n'est pas des intimes de François Ier. Il subit les brimades du roi, qui le tient à l'écart lors du Camp du Drap d'or et lui refuse le commandement de l'avant-garde pendant la campagne de 1521. La crise entre le roi et son connétable éclate avec le décès de Suzanne de Bourbon, en avril 1521. Qui est son héritier légitime ? Charles de Bourbon, François Ier ou Louise de Savoie ?

LA SUCCESSION DE BOURBON

La succession de Suzanne est une affaire complexe, car ses terres avaient des statuts divers. D'une part, les biens patrimoniaux, qui peuvent être transmis à tout héritier : Suzanne les a légués à Charles en 1519. D'autre part, des fiefs qui doivent revenir au roi après l'extinction des Beaujeu. Or, Suzanne et Charles n'ont eu qu'un seul fils, mort en bas âge. Enfin, des apanages détachés du domaine royal et qui doivent y retourner à la mort du dernier descendant mâle des Beaujeu. Il s'agissait en l'occurrence du père de Suzanne, Pierre de Beaujeu, décédé en 1503. Suzanne ne détenait ses fiefs qu'en vertu de conventions particulières.

Dès mars 1522, deux prétendants s'opposent à Charles. La mère du roi, Louise de Savoie, réclame les biens patrimoniaux, en tant que cousine et plus proche parente de Suzanne.

▼ *La condamnation de*
Charles de Bourbon.
François Ier préside
le lit de justice qui
prononce la sentence
de trahison contre
le connétable.
(Paris, B.N.F.)

La mort de ▲
Charles de Bourbon.
Le connétable tombe
en mai 1527 sous les
murs de Rome, dont
il dirigeait le siège
pour le compte de
Charles Quint.
(Paris, B.N.F.)

Une brillante fin de carrière

Entré au service de Charles Quint, Charles de Bourbon commande l'armée impériale qui envahit la Provence en 1524. Il participe à la bataille de Pavie, où François Ier est fait prisonnier. Il est l'un des geôliers du roi de France, forcé alors de le confirmer dans ses possessions françaises. Il perd à nouveau tout lorsque François est libéré en 1526. Il commande le siège de Rome par les troupes impériales en 1527 et tombe le 6 mai, lors de l'assaut final.

François Ier demande le retour au domaine royal de tous les fiefs transmissibles aux seuls héritiers mâles. Les deux compétiteurs intentent un procès devant le parlement de Paris.

TRAHISON ?

Le 7 octobre 1522, sans attendre le verdict du Parlement, le roi reçoit l'hommage de sa mère pour les fiefs qu'elle estime lui appartenir : duchés de Bourbon et d'Auvergne, comtés de Clermont-en-Beauvaisis, de Forez, de Beaujolais et de la Marche, vicomtés de Carlat et de Murat. Charles de Bourbon se voit dépossédé par cet acte brutal, dont la soudaineté constitue un véritable déni de justice.

Le connétable agit selon le droit féodal. Le système féodal repose sur un échange : le vassal offre sa fidélité au suzerain, mais il en attend aide et protection. S'il est traité injustement par son suzerain, un vassal peut en changer. C'est ce que fait Charles de Bourbon. Dès le mois d'août 1522, il prend contact avec Charles Quint. On ne peut parler de trahison, mais plutôt du dernier recours d'un vassal. Sans doute le connétable veut-il seulement faire pression sur le roi, mais l'attitude de François précipite la rupture. Le Parlement ordonne le séquestre des biens de Charles de Bourbon. Le 7 septembre 1523, le connétable retire son allégeance au roi, avant de s'enfuir en terre impériale. Cette défection est une chance pour Charles Quint : il attire dans son camp l'un des meilleurs généraux de son ennemi, alors qu'il projette l'invasion du royaume de France.

UNE AFFAIRE MALENCONTREUSE

L'affaire Bourbon révèle la faiblesse de la royauté et le peu d'autorité de François sur les grands lignages, qui peuvent faire appel à l'étranger. Le roi craint d'ailleurs, pendant un temps, que le connétable ne se remarie avec la sœur de Charles Quint. Aucun prince, cependant, ne suit Charles de Bourbon dans la voie de la rébellion. Le connétable sera condamné par contumace en 1527 et ses biens seront réunis au domaine royal en 1531, à la mort de Louise de Savoie. Il reste que François a fait montre d'autoritarisme au mauvais moment : depuis 1521, la guerre a pris un tour désastreux.

▲ *François Ier nomme sa mère régente.*
Avant de partir pour l'Italie, en octobre 1524, François confie le gouvernement du royaume à Louise de Savoie.
(Paris, Archives nationales)

DE LA BICOQUE À PAVIE

L'affaire Bourbon est survenue au pire moment pour François Ier. Ses armées subissent défaite sur défaite contre Charles Quint et ses alliés. L'intervention du roi à la tête de ses troupes va mener la France au désastre.

LES PREMIERS DÉBOIRES

Les hostilités sont ouvertes depuis l'été de 1521 en Navarre, dans le Nord de la France et en Italie. En août 1521, l'armée impériale du comte de Nassau s'empare de Mousson, mais elle échoue le mois suivant devant Mézières. Le mois de novembre s'avère défavorable aux Français : le 19, la garnison française de Milan est chassée par la population révoltée et les troupes impériales, et Lautrec, le commandant royal, doit se retirer. Cinq jours plus tard, l'Angleterre s'engage définitivement dans la guerre au côté de Charles Quint.

Le bilan de 1522 s'avère plus funeste encore. Lautrec tente de reprendre Milan, mais il est défait par les Impériaux à La Bicoque, le 27 avril 1522. Vaincus, ses mercenaires suisses l'abandonnent et il doit pratiquement évacuer le Milanais. À la fin de l'année, François Ier peut être amer. Il a perdu ses positions en Italie, ainsi que deux alliés précieux, le pape Léon X

et le duc de Mantoue, qui se sont tous deux tournés vers Charles Quint. Le roi ne reste pas sans réagir. Au printemps 1523, il concentre ses troupes à Lyon, tandis que Montmorency enrôle de nouveaux contingents de mercenaires suisses. Il faut à tout prix reconquérir le Milanais, car les guerres d'Italie sont devenues un engrenage, non seulement militaire, mais aussi financier.

Les impôts ordinaires ne suffisent pas à couvrir les énormes dépenses des armées royales. François Ier a recours aux emprunts forcés auprès des villes et du clergé. Il peut également créer et vendre de nouveaux offices, ou engager une partie du domaine royal. En septembre 1522, il crée le système de la dette publique : il lance un emprunt de 200 000 livres auprès des Parisiens, garanti par les recettes de l'Hôtel de Ville. Les prêteurs, rentiers de l'Hôtel de Ville, toucheront un intérêt perpétuel de 8,33 %.

L'ÉCHEC DE MILAN

En septembre 1523, les Français, commandés par l'amiral de Bonnivet, viennent mettre le siège devant Milan, tenu par l'armée impériale. Au même moment, Charles de Bourbon

La bataille de Pavie (février 1525). Après plusieurs mois de siège, les Impériaux engagent la bataille avec l'armée royale de François Ier. (Vienne, Kunsthistorisches Museum)

La mort de Claude de France

La reine Claude meurt à Blois le 26 juillet 1524, dans une solitude presque complète. François, Louise de Savoie et les enfants royaux se trouvent alors à Bourges. Le roi semble sincèrement touché de sa disparition. Épuisée par ses grossesses successives, elle s'éteint après sept mois de maladie. Son corps embaumé est déposé dans la chapelle Saint-Calais, à Blois. Elle est très regrettée du peuple et des guérisons miraculeuses se seraient produites auprès de sa dépouille. Les funérailles officielles de Claude à Saint-Denis, n'auront lieu qu'au retour du roi, en novembre 1526.

Gisant de ▲ Claude de France. Épuisée par ses nombreuses grossesses, la reine meurt le 26 juillet 1524. (Tombeau de François Ier, cathédrale de Saint-Denis)

passe au service de Charles Quint, renforçant un peu plus le camp des ennemis de la France. Le siège de Milan ne donne aucun résultat et, en mars 1524, les assiégés sont secourus par le vice-roi de Naples, Charles de Lannoy, accouru en renfort avec l'appui de Venise, du pape et de mercenaires allemands. Les Français se retirent dans la confusion. Faute de chevaux, ils abandonnent une partie de leur artillerie dans la boue. La retraite est terrible : Bonnivet est blessé, le chevalier Bayard tué le 30 avril dans un combat secondaire. Une épidémie achève d'abattre l'armée en déroute ; Montmorency lui-même doit abandonner le commandement de l'arrière-garde.

AU BORD DU GOUFFRE

François Ier affronte désormais la menace d'une invasion. En juillet 1524, le connétable de Bourbon envahit la Provence à la tête d'une armée d'Espagnols et d'Impériaux, tandis que Charles Quint s'apprête à entrer en Bourgogne et Henri VIII en Normandie. Le roi ne réagit pas immédiatement. Malade, il est profondément affecté par la mort de la reine Claude, décédée à Blois le 26 juillet. Par chance, le vent tourne. Les Anglais hésitent à s'engager et Charles Quint est retenu en

Allemagne par une dangereuse rébellion des paysans. De son côté, Charles de Bourbon s'enlise au siège de Marseille. En septembre 1524, harcelé sur ses arrières par l'armée d'Anne de Montmorency, il se retire.

François se reprend. L'ordre intérieur est rétabli, la ville d'Aix punie de s'être rendue trop vite aux envahisseurs, celle de Marseille récompensée pour sa belle résistance. Le roi peut songer à faire campagne dans le Milanais. Sa mère et Montmorency lui conseillent d'y renoncer, mais Bonnivet, qui veut effacer sa défaite du printemps, fait prévaloir son avis.

LE RETOUR EN ITALIE

Enfant gâté, impulsif, animé d'une conception chevaleresque de la guerre, François est convaincu qu'il marche au-devant d'un nouveau Marignan. Il confie la régence du royaume à Louise de Savoie et passe les Alpes à la mi-octobre 1524, avec une armée nombreuse. Il entre sans difficulté en Milanais, avant de mettre le siège devant la ville de Pavie, surnommée la « bien remparée ». Une armée espagnole et impériale, sous les ordres d'Antonio de Leiva, s'y est retranchée.

Le 28 octobre, les assiégeants installent leur camp au nord de la ville, dans le parc de Mirabello, ceint d'une solide muraille. Ils bombardent Pavie à partir du 9 novembre. Mais l'hiver arrive, frappant cruellement les Français. Le 3 février 1525, Charles de Lannoy et Charles de Bourbon arrivent au secours de la garnison, à la tête de troupes italiennes, allemandes et espagnoles. Les Français sont pris en tenaille entre la ville et les renforts ennemis. Le siège s'éternise : François Ier, qui reçoit des conseils contradictoires de Bonnivet et de La Trémoille, ne sait quel parti prendre. Doit-il attendre l'attaque à Mirabello, ou bien abandonner la place et se retirer vers le nord ?

*Jacques de La Palice, ▲
maréchal de France.*
Ce vétéran des guerres
d'Italie tombe à Pavie.
(Château de Beauregard)

◀ *La capture de
François Ier.*
Le roi, emporté dans
la déroute de la cava-
lerie française, est
désarçonné, puis fait
prisonnier au matin
du 24 février 1525.
*(Naples, Museo
di Capodimonte)*

LE DÉSASTRE DE PAVIE

Bourbon et Lannoy décident, quant à eux, de passer à l'attaque. Dans la nuit du 23 au 24 février 1525, leurs sapeurs pratiquent des brèches dans le mur du parc de Mirabello. L'assaut impérial prend les Français par surprise. Mais ces derniers ripostent. Les canons du grand maître Galiot de Genouillac déciment les assaillants. François Ier commet alors l'imprudence de ne pas laisser l'artillerie finir son travail, et décide de lancer sa cavalerie à découvert. A-t-il peur que les canons ne lui volent sa victoire ? La charge fend la cavalerie impériale, mais elle tombe sur les troupes d'un remarquable chef de guerre, le marquis de Pescara, adjoint de Bourbon.

TOUT EST PERDU

Pescara fait donner ses arquebusiers espagnols, dont le feu désorganise la cavalerie française. Le roi lui-même est désarçonné. L'infanterie suisse, laissée sans protection, se bat courageusement, mais finit par se débander. C'est un massacre. La Palice, jeté à terre, se bat jusqu'à la mort. L'amiral de Bonnivet tombe, foudroyé. René de Savoie, l'oncle du roi, est étouffé sous son cheval. Pavie est une hécatombe de la haute noblesse : Bussy d'Amboise, François de Lorraine, Thomas de Foix, sire de Lescun, Louis de La Trémoille, qui avait revêtu l'armure à 75 ans… Le culte de l'exploit individuel avait fait merveille à Marignan Il devient une faute impardonnable à Pavie. Au matin du 24 février, le roi est capturé. Légèrement blessé, il est confié à la garde de Lannoy et de Bourbon, qui le font transporter à la Chartreuse. De là, il écrit à sa mère : « De toutes choses ne m'est demeuré que l'honneur et la vie sauve… Tout est perdu, fors l'honneur ».

Pierre du Terrail, seigneur de Bayard (vers 1475-1524)

Page du duc de Savoie, il combat aux côtés de Charles VIII et de Louis XII et s'illustre à la bataille de Fornoue (1495). Son plus célèbre exploit est la défense du pont du Garigliano, seul contre deux cents Espagnols, en 1503. Sa bravoure légendaire l'a fait surnommer le « chevalier sans peur et sans reproche ». À Marignan, où son rôle est décisif, le roi lui aurait demandé de l'armer chevalier sur le champ de bataille. Le 30 avril 1524, pendant la désastreuse campagne du Milanais, il est mortellement blessé au passage de la rivière Sesia, alors qu'il couvrait l'arrière-garde. Le récit héroïque de sa mort sert à masquer la piteuse retraite de Bonnivet.

1526 - Les Moghols en Inde

En avril 1526, les Moghols s'emparent du Nord de l'Inde. À leur tête, le prince Zahiruddin Muhammad (1483-1530), dit Bâbur (la « panthère »), descendant de Tamerlan par son père et de Gengis Khan par sa mère. Le jeune Bâbur règne d'abord sur la principauté du Ferghana (située entre la Perse et le Turkménistan). Chassé par l'invasion des Ouzbeks, il s'enfuit avec quelques centaines de partisans et s'empare de la ville de Kaboul en 1504. L'expansion en Perse et en Asie centrale lui étant interdite, il se tourne vers l'Inde du Nord.

La situation politique y est favorable à une invasion : Ibrahim Lodi, le sultan de Delhi, n'exerce qu'une souveraineté limitée sur les seigneurs musulmans (d'origine afghane) et hindous (radjpoutes) de la région. Entre 1505 et 1524, plusieurs incursions lui permettent de sonder les forces de son adversaire. Dans l'hiver de 1525, Bâbur, à la tête d'une armée de douze mille hommes, avance jusque dans la plaine de Panipat, au nord de Delhi. Malgré une force ennemie bien supérieure en nombre, il y remporte une victoire éclatante contre Ibrahim Lodi, le 20 avril 1526. Delhi pris, il soumet le prince hindou Rana Sanga puis le roi du Bengale Nusrat Chah, avant de s'éteindre à Agra le 25 décembre 1530. Il est le fondateur de la dynastie moghole, nom dérivé à tort de « mongol », puisque Bâbur est turc. Ses descendants domineront le nord de l'Inde jusqu'au XIXᵉ siècle.

Bâbur Khan sortant d'un fort.
*Brillant général, il est le premier des empereurs moghols, qui régneront en Inde jusqu'en 1857.
(New Delhi, National Museum)*

Bâbur (1483-1530).
*Le fondateur de la dynastie moghole a raconté l'histoire aventureuse de sa vie dans des Mémoires rédigés en turc oriental.
(Paris, musée Guimet)*

◄ *Louise de Savoie tient le gouvernail de la régence.* Pendant la captivité de son fils, la mère du roi maintient de son mieux l'autorité royale.
(Paris, B.N.F.)

Le château de Naples. François Ier prisonnier y est envoyé en mai 1525. La flotte française risquant de le libérer, il est transféré en Espagne.
(Naples, musée San Martino) ▼

L'APRÈS-PAVIE : UN HOMME LIBRE

La capture de François Ier ouvre pour la France une période dramatique. Le roi prisonnier est à la merci de Charles Quint, tandis qu'en France Louise de Savoie assume de son mieux la charge du gouvernement.

LES PRISONS DE FRANÇOIS

Responsable de la personne de François, Charles de Lannoy a d'abord conduit le prisonnier au château de Pizzighetone, près de Crémone. Craignant une évasion, Charles Quint fait transférer le roi en lieu sûr, d'abord au Castel Nuovo de Naples, puis en Espagne, près de Valence et enfin à Madrid. Après Pavie, François espérait obtenir sa libération contre une forte rançon et son mariage avec la sœur de l'Empereur. Mais Charles veut profiter de sa position. Ses exigences sont immenses. Pour lui-même, la Bourgogne, la Flandre et l'Artois, possessions de ses ancêtres. Pour Henri VIII, les anciens fiefs des Plantagenêts, soit l'Ouest de la France. Pour Charles de Bourbon, la Provence, qui serait érigée en royaume indépendant. La France, enfin, renoncerait à ses prétentions en Italie. Ces conditions sont jugées inacceptables par François qui, le 13 août 1525, proteste par écrit contre la rétrocession de la Bourgogne à l'Empire. En septembre 1525, le découragement et les mauvaises conditions de détention affaiblissent la santé du roi, qui souffre d'un grave abcès nasal et d'anorexie. On craint un temps pour sa vie. Les négociations reprennent immédiatement après son rétablissement. Elles dureront encore plusieurs mois, pendant lesquels Louise de Savoie affronte les menaces qui pèsent sur le royaume.

LOUISE, RÉGENTE DE FRANCE

Installée à Lyon, Louise exerce la régence avec les qualités d'un véritable chef d'État. Secondée par le chancelier Duprat, elle fait face avec courage au danger de l'invasion extérieure et de la sédition intérieure.

La régente n'a ni armée, ni argent. Par bonheur, ses ennemis sont divisés. Charles Quint est occupé sur d'autres fronts, en Allemagne et en Hongrie. Henri VIII d'Angleterre ne tient pas à s'engager seul, et Louise parvient à le détacher de la coalition antifrançaise : en août 1525, elle conclut avec l'Anglais la paix de Moore. Une invasion du royaume est désormais improbable. Par prudence, la régente organise néanmoins la sécurité des frontières, avec l'appui du parlement de Paris.

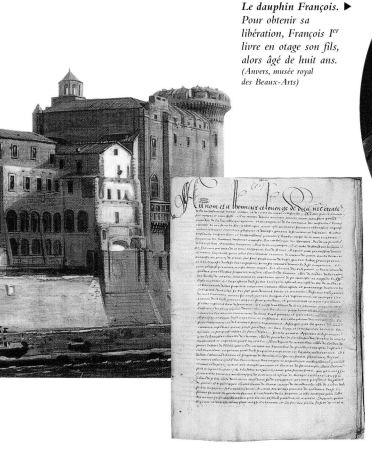

Le dauphin François. ▶
*Pour obtenir sa
libération, François Ier
livre en otage son fils,
alors âgé de huit ans.
(Anvers, musée royal
des Beaux-Arts)*

◀ *Traité de Madrid.
La paix est signée
en janvier 1526.
François Ier cède
à Charles Quint
la Bourgogne et
ses droits sur l'Italie
et l'Artois.
(Paris, Archives nationales)*

Le Trésor de l'Épargne

François a commencé la réforme des finances dès avant Pavie. En décembre 1523, il crée le Trésor de l'Épargne, qui contrôle les revenus et les dépenses de la monarchie. On distingue les revenus « ordinaires », produits d'impôts régulièrement prélevés, comme la taille, des revenus « extraordinaires », qui résultent de mesures inhabituelles, telle la vente d'offices ou les emprunts forcés. En juin 1524, on adjoint au trésorier de l'Épargne un trésorier des parties casuelles, chargé des revenus extraordinaires. Cette caisse centrale échappe à la gestion des quatre trésoriers et généraux des Finances, chargés de la seule perception dans les circonscriptions territoriales dont ils ont la charge, les « généralités ».

CONTRE LE PARLEMENT

Les véritables problèmes sont intérieurs. L'argent manque cruellement et les soldats rescapés de Pavie n'ont pu être payés à leur retour. Ils vont grossir le nombre des vagabonds qui rôdent autour de Paris. Surtout, le parlement de Paris saisit l'occasion de la crise pour contester l'autorité royale. Les parlementaires n'ont jamais admis la politique religieuse de François Ier. Ils dénoncent le concordat de Bologne, qu'ils avaient enregistré de force en 1518.

Leurs attaques se font personnelles, visant les protégés du roi. Ils s'en prennent au chancelier Duprat, qu'ils accusent de fraude dans une affaire de nominations ecclésiastiques. Les réformateurs religieux, que le roi considérait avec bienveillance, deviennent des boucs émissaires. Une commission exceptionnelle de « juges délégués », nommés par le pape et les parlementaires, s'acharne contre les suspects d'hérésie. Elle vise particulièrement Guillaume Briçonnet, évêque de Meaux, et Lefèvre d'Étaples. De sa prison de Madrid, François intervient et ordonne à la cour de surseoir aux procès. En vain. Plusieurs personnes poursuivies sont contraintes de fuir à Strasbourg afin d'échapper aux persé-

cutions. Le Parlement envisage même de réunir de son propre chef les États généraux. En renonçant à ce geste, qui saperait l'autorité de la régente, il évite de peu la rupture totale avec Louise de Savoie. Le climat est de plus en plus tendu. Il est temps que le roi revienne.

LE TRAITÉ DE MADRID

La paix avec Charles Quint est signée à Madrid le 14 janvier 1526. François Ier abandonne la Bourgogne à Charles Quint et renonce à ses droits sur l'Italie et l'Artois. Son allié Jean d'Albret renonce à la Navarre espagnole. Charles de Bourbon est rétabli dans ses biens. En gage de l'exécution du traité, les deux premiers fils du roi seront livrés à l'Empereur. François Ier impose lui aussi ses conditions : le traité ne prendra effet qu'à sa libération, afin de lui permettre de négocier auprès de ses sujets la cession de la Bourgogne. Il exige également d'épouser la sœur de Charles Quint, Éléonore de Habsbourg. Le roi, qui n'a nulle intention de céder la Bourgogne, n'a pour l'heure d'autre choix que de dissimuler ses intentions. Il est libéré le 21 février 1526 et revient en France le 17 mars. L'échange avec ses fils François

◄ *Portrait de François Ier.*
François Clouet a peint
le roi dans sa pleine
maturité, sans doute
peu après son retour
de captivité.
(Paris, musée du Louvre)

La rencontre avec Anne de Pisseleu

À son retour de Madrid, François fait la connaissance d'une nouvelle dame de cœur, Anne de Pisseleu *(ci-dessous, Chantilly, musée Condé)* âgée de 18 ans. Fille d'un noble sans fortune, elle appartient à la suite de Louise de Savoie. Anne la blonde évince la brune Françoise de Châteaubriant, au terme d'un combat acharné pour le cœur du roi. À l'impétuosité de Françoise, qui le fatigue et l'agace, François préfère le calme et l'apparente timidité d'Anne. Il la marie à Jean de La Brosse en 1533 et lui offre le comté d'Étampes, qu'il érige pour elle en duché en 1537.

Azay-le-Rideau ►
(Indre-et-Loire).
En 1528, le roi
saisit cette prestigieuse
demeure, propriété du
financier Gilles
Berthelot.

et Henri, âgés de 8 et 7 ans, a lieu à la frontière espagnole, sur la rivière Bidassoa. La barque de François et Henri part de la rive française, celle du roi, de l'espagnole. Les embarcations échangent leurs passagers au milieu de l'eau. François laisse partir ses enfants les larmes aux yeux, mais il n'a pas le temps de s'attendrir. À peine le pied posé sur le sol français, il s'élance à bride abattue vers Bayonne, où il retrouve sa mère et ses conseillers. Le roi est de retour.

UN NOUVEL HOMME

François n'est plus le jeune homme insouciant et téméraire de Marignan. C'est à peu près à cette époque que François Clouet peint le portrait le plus célèbre du roi, celui d'un homme mûr, soucieux, qui a perdu ses illusions. Pour être libéré, il a dû recourir à des expédients contraires à l'éthique de la chevalerie, la ruse, le mensonge. Son entourage change. De nouveaux favoris remplacent les morts de Pavie : Galiot de Genouillac, créé grand écuyer, Philippe Chabot, sieur de Brion, nommé amiral de France, et surtout Anne de Montmorency, qui devient grand maître de France.

VOLTE-FACE

À son arrivée dans le Val de Loire, François marque un désintérêt évident pour les affaires de l'État, préférant jouir des plaisirs de la Cour et de la chasse. Il veut surtout gagner du temps face aux envoyés de Charles Quint, venus demander l'exécution du traité de Madrid. Lors d'une réception donnée aux ambassadeurs anglais, italien et espagnol, il prétend

ne pas pouvoir ratifier le traité : la Bourgogne appartient au domaine royal et son aliénation nécessite l'approbation des États généraux. Belle et nouvelle duplicité, tactique du report de décision dont Charles avait jusque-là le triste privilège. En juin 1526, les États de Bourgogne aboutissent sans surprise aux mêmes conclusions que le roi et son conseil : la province ne peut être cédée.

LA LIGUE DE COGNAC

François Ier n'en reste pas là. Il approuve et renforce la paix avec l'Angleterre, avant de constituer, en mai 1526, la ligue de Cognac, où se retrouvent le pape Clément VII, Milan et Venise. Sous couvert de mettre fin aux guerres qui ravagent la chrétienté, il s'agit clairement de faire pression sur l'Empereur. François s'engage en outre à verser des subsides au pape, opposé à la présence espagnole dans le royaume de Naples. Est-on au bord d'une vaste offensive en Italie ? Rien n'est moins sûr, car François ne s'empresse pas de remplir ses obligations d'allié. En décembre 1526, alors que les Impériaux attaquent les États du pape par le nord et par le sud, le roi de France n'a toujours pas tenu sa promesse de financer

Thomas Bohier. ▶
Général des Finances de Normandie, il bâtit Chenonceau. Sa famille est touchée en 1527 par la « purge » des financiers.

Semblançay au gibet ▶
de Montfaucon.
Accusé de malversations, le grand financier est pendu en 1527.
(Compiègne, collection particulière)

les armées pontificales. En mai 1527, les troupes impériales, commandées par Charles de Bourbon, prennent Rome et la mettent à sac. François, de son côté, se consacre aux affaires intérieures : le temps est venu d'une remise en ordre.

LA REPRISE EN MAIN

François remet au pas le Parlement. Le roi entend rester le maître des institutions judiciaires. Au cours du lit de justice du 24 juillet 1527, le président Guillart reproche au souverain son attitude, notamment la protection des hérétiques et le soutien accordé au chancelier Duprat. La réponse de François est ferme. Un édit limite strictement l'autorité du Parlement à celle d'une simple cour de justice. Toutes les décisions prises à l'encontre de Duprat sont annulées. Le Parlement enregistre sans murmure, conscient que le roi a repris tous ses pouvoirs de justice.

Trois jours plus tard, la cour des pairs venge le roi de son ancien connétable. François obtient sans peine la condamnation posthume de Charles de Bourbon, tué en mai 1527 au cours du sac de Rome. Charles est convaincu de félonie, ses terres sont confisquées, ses armoiries effacées.

Le roi se consacre enfin au problème des financiers, dont l'exemple le plus voyant est Jacques de Beaune, seigneur de Semblançay et vicomte de Tours, chambellan du roi et général des Finances. Perpétuellement à court d'argent, François et sa mère ont recours à ces hommes puissants, responsables sur leurs deniers de la levée de l'impôt. Chargés de la gestion du Trésor, les financiers confondent souvent leurs rentrées personnelles et celles du fisc. Ils se font bâtir des demeures enviées par le roi. Ainsi de Chenonceau, château de Thomas Bohier, et d'Azay-le-Rideau, résidence de Gilles Berthelot.

LE PROCÈS DE SEMBLANÇAY

François est décidé à faire un exemple. Semblançay a déjà été accusé en 1525 de malversations dans la gestion des biens de Louise de Savoie et du Trésor. L'affaire a tourné court et il a continué à mener grande vie, mais, en 1526, l'un de ses commis, Prévost, retrouve fort opportunément des papiers témoignant de manipulations frauduleuses.

Emprisonné, Semblançay est jugé le 9 août 1527 pour faux, usage de faux, prise de commissions illégales, et emprunts souscrits à des taux excessifs. L'on pointe sa récente acquisition de la ville de L'Aigle pour 80 000 écus d'or, et d'autres vanités qui prouvent bien le caractère suspect de son enrichissement. Déchu de ses titres et charges, Semblançay est pendu à Paris, au célèbre gibet de Montfaucon, le 12 août. Sa notoriété fait de sa mort un événement et un spectacle, comme toutes les exécutions de l'époque : pendu comme un roturier et non décapité comme le noble qu'il prétendait être. Ses biens sont confisqués. D'autres financiers sont poursuivis et s'enfuient, craignant de faire les frais de la reprise en mains, comme Gilles Berthelot, réfugié en Italie en 1528.

Un « beau XVIᵉ siècle »

Malgré les guerres, le règne de François Iᵉʳ illustre le « beau XVIᵉ siècle ». Les dépenses militaires provoquent la hausse des impôts, mais les invasions ne touchent guère que les marges du royaume. Jusque dans les années 1540, la France est un royaume prospère.

SEMAILLES ET LABOURS.
*Les instruments de culture et la pratique de la jachère évoluent peu.
(Paris, musée du Louvre)*

LE MOIS D'AOÛT :
*LES MOISSONS.
Les céréales sont cultivées partout et forment la base de l'alimentation : pain de froment des riches, méteil (pain de seigle et de froment) des moins riches, galettes de seigle ou d'avoine des pauvres.
(Heures Gouffier, Écouen, musée de la Renaissance)*

UNE FÊTE PAYSANNE : L'ARBRE DE MAI. *Des paysans apprêtent le repas autour d'un feu, au milieu de leurs moutons. À l'arrière-plan, le seigneur à cheval tient une gaule pour cueillir les fruits. (Tapisserie de Tournai, vers 1515, collection particulière)*

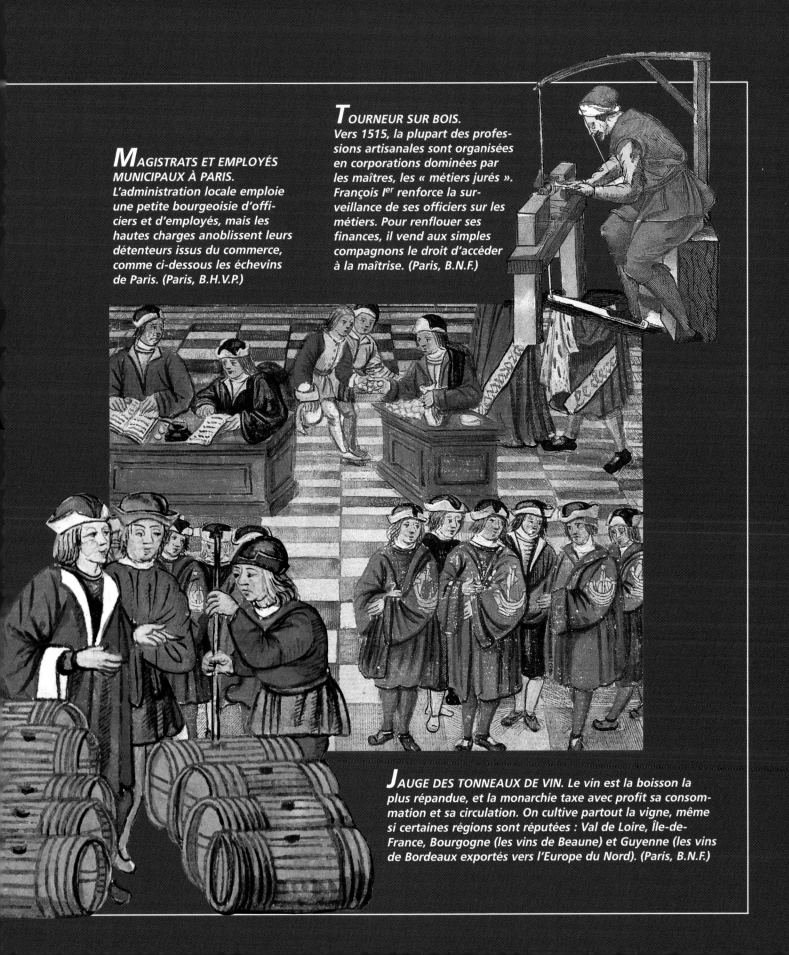

MAGISTRATS ET EMPLOYÉS MUNICIPAUX À PARIS. L'administration locale emploie une petite bourgeoisie d'officiers et d'employés, mais les hautes charges anoblissent leurs détenteurs issus du commerce, comme ci-dessous les échevins de Paris. (Paris, B.H.V.P.)

TOURNEUR SUR BOIS. Vers 1515, la plupart des professions artisanales sont organisées en corporations dominées par les maîtres, les « métiers jurés ». François Ier renforce la surveillance de ses officiers sur les métiers. Pour renflouer ses finances, il vend aux simples compagnons le droit d'accéder à la maîtrise. (Paris, B.N.F.)

JAUGE DES TONNEAUX DE VIN. Le vin est la boisson la plus répandue, et la monarchie taxe avec profit sa consommation et sa circulation. On cultive partout la vigne, même si certaines régions sont réputées : Val de Loire, Île-de-France, Bourgogne (les vins de Beaune) et Guyenne (les vins de Bordeaux exportés vers l'Europe du Nord). (Paris, B.N.F.)

Martin Luther entre Volupté et Liberté.
L'« hérésie » luthérienne préoccupe le roi et ses magistrats.
(Chantilly, musée Condé) ▼

Guillaume Briçonnet (1470-1534). ▶
Il encourage le cercle de Meaux, attaché à la réforme de l'Église.
(Château de Beauregard)

Procession de ▶
François Ier (1528).
Le roi expie la mutilation d'une statue de la Vierge par un fanatique religieux.
(Chantilly, musée Condé)

Marguerite de Valois ▶
(1492-1549).
La sœur du roi tente de protéger les réformateurs français.
(Chantilly, musée Condé)

LE ROI ET LA RELIGION

François Ier, roi « très chrétien », ne peut rester insensible aux aspirations de ses contemporains, soucieux d'une réforme de l'Église. Mais cette réforme ne doit entraîner le royaume ni vers la rupture avec Rome, ni vers des troubles intérieurs. En 1526, le roi se trouve confronté à une situation ambiguë, résultat d'une décennie de tolérance et de recherches spirituelles.

LE CERCLE DE MEAUX

Le mouvement évangélique français trouve sa première expression dans le « cercle de Meaux », animé par l'évêque Guillaume II Briçonnet. Il tend à une lecture plus juste du Nouveau Testament, à l'instruction et à la moralisation du clergé. Briçonnet, neveu du financier Semblançay, est issu d'une grande famille de Tours. Après son veuvage, son père Guillaume Ier entre dans les ordres et devient cardinal, archevêque de Reims et de Narbonne. Guillaume II accède à l'évêché de Lodève en 1489 et à celui de Meaux en 1515. Il est également abbé de Saint-Germain-des-Prés, où il rétablit la discipline dès 1513. Il commence son action de réforme à Meaux en 1518 : il forme les prêtres, promeut l'usage du français dans la liturgie. À partir de 1521, malgré les résistances locales, il fait venir à Meaux des prédicateurs qui partagent ses vues et qui diffusent, les premiers, l'Évangile en français : Jacques Lefèvre d'Étaples, François Vatable, Guillaume Farel et Gérard Roussel.

Le cercle de Meaux est vite accusé d'adhérer aux idées du réformateur allemand Luther. Accusation dangereuse, car ces dernières ont été condamnées par la faculté parisienne de théologie - le collège de Sorbonne - dès avril 1521.

AUTOUR DE MARGUERITE

Les évangélistes bénéficient heureusement du soutien de Marguerite de Valois : dès 1521, la sœur du roi correspond avec Briçonnet, devenu son directeur de conscience. Marguerite, qui a épousé en 1509 le duc Charles d'Alençon, se remarie en 1527 avec Henri d'Albret, roi de Navarre. La princesse tient sa cour à Nérac, où elle accueille les membres poursuivis du cercle de Meaux, notamment Lefèvre d'Étaples et Roussel, qu'elle prend comme confesseur.

En 1533, son poème mystique, *Le Miroir de l'âme pécheresse*, publié anonymement deux années auparavant, est mis à

l'index : le roi en personne doit le faire retirer de la liste des livres interdits. Marguerite est pourtant très éloignée de la Réforme protestante, contrairement à sa fille Jeanne d'Albret et à son petit-fils Henri IV, authentiques protestants. Le cercle de Meaux lui-même, d'ailleurs, est-il luthérien ?

DES LUTHÉRIENS FRANÇAIS ?

Il existe certes des aspirations communes entre, d'une part, Briçonnet et ses amis, d'autre part, Martin Luther : place centrale donnée à la lecture du Nouveau Testament, salut par la foi et non par les œuvres. Cependant, le cercle de Meaux est très éloigné des positions radicales du protestantisme allemand : refus de l'autorité du pape, rejet du culte de la Vierge et des saints, sacerdoce universel des fidèles, mariage des pasteurs, etc. Surtout, les évangélistes sont convaincus de la présence réelle du Christ dans l'eucharistie, alors que les luthériens n'admettent qu'une présence spirituelle. Malgré ces divergences, l'absence du roi, prisonnier de 1525 à 1526, permet cependant aux garants de la tradition catholique de passer à l'offensive. En 1525, la Sorbonne poursuit Lefèvre d'Étaples tandis que l'imprimeur Louis Berquin est condamné pour avoir publié des œuvres d'Érasme. Guillaume Briçonnet lui-même comparaît devant le Parlement, qui finit par interdire toutes les traductions de la Bible en français. Le retour de François Ier en 1526 suspend les poursuites.

LES HÉSITATIONS DU ROI

Une Réforme à la française est-elle possible ? La question embarrasse le roi qui souhaite mettre au pas le Parlement et la Sorbonne, sans pour autant s'engager dans un mouvement qu'il maîtrise mal. Aussi soutient-il le concile réuni à Paris en 1528 pour réaffirmer les grands dogmes du catholicisme.
Le 31 mai, en plein concile, un fanatique mutile une statue de la Vierge, au coin de la rue du Roi-de-Sicile. Choqué de cette violence, le roi ordonne une procession expiatoire dont il prend la tête, un cierge blanc à la main. François place lui-même la nouvelle statue dans sa niche, puis il s'agenouille et prie en public, les larmes aux yeux. Acte de piété personnelle, la procession est aussi un geste politique, qui rappelle à l'ordre ceux qui voudraient briser l'unité du royaume. Ce coup d'arrêt sera suivi d'une nouvelle période de tolérance, comme si le roi croyait encore à une Réforme sans heurts.

Sceau d'or du traité d'Amiens (1527). François Ier et Henri VIII renforcent à Amiens leur alliance de 1525. (Paris, Archives nationales) ▼

La « paix des dames ». ▲ Signé le 5 août 1529, le traité de Cambrai entre la France et l'Empire a été négocié par Louise de Savoie et Marguerite d'Autriche. (Paris, Archives nationales)

RENONCEMENT ET RÉVOLTE

Le roi doit sortir de l'impasse où l'a placé le traité de Madrid. Mais sa rivalité personnelle avec Charles Quint envenime des négociations déjà délicates. De plus, des troubles sociaux apparaissent dans le royaume. Période faste de redressement et de reconquête de l'autorité royale, les années 1526-1530 de « l'après-Pavie » ne sont pourtant pas exemptes de crises.

ENTRE DEUX ALLIANCES

Allié du pape Clément VII, François Ier s'est révélé incapable de lui fournir l'aide promise contre Charles Quint. Devant l'avance des troupes impériales, le pape se retourne vers Charles, mais trop tard. Le 25 mai 1527, les Impériaux prennent Rome : réfugié dans le château Saint-Ange, Clément VII assiste impuissant au sac de la capitale de la chrétienté. Il n'a d'autre choix que celui de se soumettre à l'Empereur.
Le sac de Rome décide François et Henri VIII à intervenir contre Charles Quint. Aucun des deux n'est capable de venir seul à bout de l'Empereur. L'alliance franco-anglaise de 1525 est renforcée en avril 1527 par le traité de Westminster, puis en août par celui d'Amiens. La France et l'Angleterre s'en-

gagent à secourir le pape et à maintenir des échanges commerciaux privilégiés. Les deux partenaires voient plus loin : Henri a besoin du soutien français pour répudier sa femme Catherine d'Aragon, tante de Charles Quint ; François compte sur ce rapprochement pour obtenir la libération de ses deux fils, toujours otages en Espagne.
Depuis septembre 1526, les relations entre le roi de France et l'Empereur sont belliqueuses. Les deux hommes s'affrontent à coup de défis chevaleresques, chacun pressant l'autre de régler leurs différends par un duel singulier.

LE BOURBIER ITALIEN

En août 1527, François se résout à intervenir en Italie. Le maréchal de Lautrec entre en Milanais et emporte plusieurs places. En janvier 1528, la France et l'Angleterre déclarent officiellement la guerre à Charles Quint. Le mois suivant, Lautrec se lance à la conquête de Naples. Le choléra s'abat sur son campement : Lautrec et les deux tiers de son armée périssent. Les survivants se retirent pitoyablement au mois d'août. Entre-temps, Henri VIII s'est montré infidèle. Peu enclin à verser les subsides convenus, il subit la pression des

Marguerite d'Autriche (1480-1530)

Fille de l'Empereur Maximilien, tante de Charles Quint, elle épouse l'infant Jean d'Aragon puis, en 1501, le duc Philibert II de Savoie. Cette union fait d'elle la belle-sœur de Louise de Savoie. Veuve en 1504, elle fait édifier à la mémoire de son mari l'église de Brou, joyau du gothique flamboyant. Gouvernante des Pays-Bas à partir de 1507, elle joue un rôle important dans la politique européenne. Marguerite a hérité des Habsbourg des dispositions de grande mécène et d'authentique lettrée. Sa cour, installée à Malines, accueille des humanistes (tel Érasme), des poètes (Jean Lemaire de Belges), des musiciens (Josquin des Prés, Pierre de La Rue) et des peintres tel Bernard Van Orley. Passionnée de romans de chevalerie et d'ouvrages historiques, elle possède une riche bibliothèque.

---

marchands anglais, mécontents d'une guerre qui interrompt les relations commerciales avec les Flandres. En juin 1528, il conclut une trêve de huit mois avec Marguerite d'Autriche, gouvernante des Pays-Bas au nom de Charles Quint. La trêve est renouvelée pour huit mois en décembre, avec la participation de la France. La paix serait-elle en vue ?

VERS LA PAIX

Devant la succession des défaites, le Valois s'entête : le comte de Saint-Pol est chargé de reconquérir Gênes par les armes. Il est défait et capturé le 21 juin 1529. Ce désastre engage le pape Clément VII lui-même à s'entendre avec Charles Quint, par le traité de Barcelone. Malgré les apparences, les ennemis veulent négocier. François a subi une débâcle en Italie et n'est pas encore parvenu à faire libérer ses fils. Il ne peut cependant négocier personnellement avec son ennemi, car ses alliés lui reprocheraient d'avoir conclu une paix séparée. Quant à l'Empereur, il ne peut affronter dans le même temps la France, les princes luthériens allemands et l'offensive turque en Europe centrale, qui menace Vienne. La paix viendra des « dames » : Louise de Savoie se tourne vers Marguerite d'Au-

triche, qui oublie sa rancune contre les Français. Les deux femmes négocient seules, tenant à l'écart les autres parties, y compris Henri VIII.

LA « PAIX DES DAMES »

L'accord entre François Ier et Charles Quint est signé le 5 août 1529 à Cambrai, sur le territoire de l'Empire. François cède Hesdin, Tournai, l'Artois et la Flandre à l'Empereur, mais conserve la Bourgogne et les villes de la Somme. Il renonce à Naples, Milan et Asti. Les deux fils du roi seront libérés contre une rançon de deux millions d'écus d'or et François épousera la sœur de Charles Quint, Éléonore d'Autriche. Pour tous, cette « paix des dames » est le triomphe de Charles Quint. Mais elle assure à la France la possession de la Bourgogne et de la Picardie, deux provinces essentielles pour l'économie et la sécurité du royaume.

Les œuvres
de miséricorde.
L'exemple donné par
Lyon en 1531 est
bientôt suivi par
d'autres villes du
royaume. Alors
que la charité était
jusqu'alors l'affaire
des particuliers et de
l'Église, les notables
la confient à des
institutions laïques.
(Valenciennes, musée
des Beaux-Arts)

LE PAIN RARE

L'année même où François renonce à ses rêves italiens, des troubles populaires éclatent à Lyon. Ils révèlent combien la prospérité du « beau XVIᵉ siècle » peut s'avérer précaire. Depuis 1523, les récoltes, très dépendantes du climat, sont médiocres et entraînent des disettes régulières. Le blé, essentiel à l'alimentation, est rare et cher, surtout à l'approche de l'hiver. On s'endette et la rancœur contre les usuriers s'accumule. Mal nourrie, la population est plus sensible aux épidémies, aux fièvres et « pestes ». À Lyon, la pénurie se double d'une lente dégradation des salaires et de l'arrivée régulière de vagabonds, parfois étrangers, poussés par la faim. Les consuls, magistrats municipaux, se barricadent dans une politique de ségrégation qui dresse un mur entre le petit peuple des « gens mecanicques », les petits artisans, et les notables qui dirigent la ville.

LA « GRANDE REBEYNE »

La récolte de 1528 est mauvaise et le prix du bichet de blé augmente dramatiquement. En décembre, le pain manque et la population lyonnaise gronde contre les accapareurs, qui stockent le blé pour le revendre plus cher. Des placards anonymes signés « le povre » appellent à la révolte.
Le 25 avril 1529, le petit peuple de Lyon est convoqué : plus de 1 000 personnes se rassemblent place des Cordeliers et envahissent le couvent voisin. La maison de Symphorien Champier, médecin et humaniste, et celles d'autres notables sont attaquées. La milice urbaine, composée d'artisans, n'intervient pas. Les notables se réfugient au cloître Saint-Jean, tandis que la foule dévaste les greniers de l'abbaye de l'Île Barbe. Le pillage des grains continue pendant deux jours.

Après un moment de panique, les bourgeois de Lyon réagissent. Malgré l'aide envoyée en hâte par le roi, le corps de ville veut organiser seul les poursuites et les exécutions. Onze émeutiers sont pendus, d'autres sont mis au pilori ou fouettés en public. Les enquêtes et procès durent jusqu'en 1531. La « Grande Rebeyne » est avant tout une émeute classique de la faim qui affecte cruellement le petit peuple des ouvriers et des artisans des villes, les « gagne-deniers ».

SECOURIR LES PAUVRES : L'AUMÔNE GÉNÉRALE

Jusqu'au XVᵉ siècle, le pauvre était l'envoyé de Dieu sur Terre, l'image du Christ souffrant. En temps de crise, il devient un danger pour l'ordre établi. La rébellion est un péché car la société telle qu'elle a été voulue par Dieu. Aussi la législation royale est-elle impitoyable aux révoltés et aux vagabonds, qui leur sont assimilés. Désormais, la charité doit être organisée, et non laissée aux initiatives privées et religieuses. Les autorités municipales décident de prendre en main des structures d'assistance. En 1531, les notables lyonnais créent l'Aumône générale. Gérée par la ville, elle tire ses revenus des amendes, des legs, des collectes et d'une taxe prélevée sur les habitants. Elle organise la distribution des secours en espèces, en nature, en journées de travail (curage des fossés, nettoyage des rues). Cinq mille nécessiteux sont secourus et plus de 250 000 pains distribués.
Le temps des bâtiments réservés aux miséreux n'est pas encore venu. Les enfants pauvres ou abandonnés sont placés comme apprentis chez les drapiers ou comme domestiques chez les bourgeois. En 1534, l'initiative devient permanente grâce au marchand Jean Broquin. Bientôt, d'autres villes suivent : Dijon, Troyes, Amiens, Poitiers, Rouen, Nantes…

1529 - Les Turcs devant Vienne

Au début du XVIe siècle, l'Empire ottoman a atteint la frontière européenne de la Bosnie et du Danube. Le sultan Soliman le Magnifique (1520-1566) porte à son apogée l'expansion territoriale et l'organisation administrative de cette puissance formidable. Belgrade est prise en 1521, Rhodes l'année suivante.

La victoire de Mohács, en 1526, permet aux Turcs de s'emparer de la plaine de Hongrie. Soliman entre à Buda et installe Jean Zápolya, voïvode de Transylvanie, sur le trône du roi Louis II Jagellon, tué au combat.

Mais la diète de Presbourg proclame un roi concurrent, Ferdinand d'Autriche, frère de Charles Quint et beau-frère de Louis II. Ferdinand vainc Zápolya, qui fait appel au sultan pour reconquérir son trône. Tel est le contexte de la quatrième « campagne auguste » pour laquelle Soliman quitte Istanbul le 10 mai 1529. L'armée ottomane, forte de 120 000 hommes, prend Buda le 8 septembre et arrive sous les murs de Vienne le 27. Seuls 20 000 soldats défendent la ville, dont Ferdinand s'est prudemment retiré. Les assiégés résistent, protégés par de puissantes murailles.

Malgré sa supériorité en hommes et en matériels, le sultan se voit contraint de lever le siège le 16 octobre. Plus que la ténacité de l'ennemi, le climat est défavorable à l'armée ottomane qui, traditionnellement, doit être rentrée à Istanbul avant l'hiver. Vienne semble marquer la limite géographique que le sultan pouvait atteindre au cours d'une saison. La victoire de Vienne ne libère pas la Hongrie, mais la trêve conclue en 1533 libère Charles Quint de la menace turque en Europe orientale.

Un Turc vaincu.
La levée du siège de Vienne est un triomphe pour Charles Quint, délivré d'une menace mortelle.
(Londres, British Library)

Les défenseurs de Vienne.
En octobre 1529, 20 000 chrétiens résistent à 120 000 Turcs.
(Istanbul, musée de Topkapi)

Lyon au XVIᵉ siècle

Place de négoce et de finance, et deuxième ville du royaume avec ses 60 000 âmes, le Lyon de la Renaissance est une métropole cosmopolite. L'activité foisonnante de ses marchands met la cité au premier rang de l'Europe. Le nombre et la réputation de ses imprimeurs y attirent les plus célèbres humanistes, tels Rabelais et Dolet.

MAURICE SCÈVE.
L'auteur de la Délie (1544) est le chef de l'école lyonnaise de poésie qui compte dans ses rangs Antoine Héroët, Louise Labé et Pernette du Guillet. (Paris, B.N.F.)

LES CONSULS DE LYON.
Issus principalement des grandes familles de marchands, ils détiennent l'autorité municipale. (Lyon, Bibliothèque Saint-Jean)

LA COLLINE DE FOURVIÈRE. Les notables quittent une ville surpeuplée pour leur maison des champs. Au début du siècle, l'humaniste Pierre Sala fait bâtir au milieu des vignes une belle demeure, l'Anticaille (en haut, à gauche). À droite, la chapelle de Fourvière, lieu d'un pèlerinage à la Vierge. En bas, le palais de l'archevêque. (Vienne, Bibliothèque nationale)

PENTE DE SOIE BRODÉE. Lyon domine le négoce des draps français et étrangers. En 1536, François Ier accorde à un groupe de marchands des privilèges pour la fabrication de la soie, industrie de luxe par excellence. Il s'agit de contrer la cité ennemie de Gênes (grande productrice de velours), mais aussi d'employer les désœuvrés qui se sont révoltés en 1529. L'industrie du taffetas et du velours fait travailler 12 000 personnes dès le milieu du siècle. (Écouen, musée de la Renaissance)

GALERIE DE L'HÔTEL BULLIOUD. Les riches Lyonnais innovent peu dans la construction de leurs demeures. L'hôtel d'Antoine Bullioud fait exception : vers 1536, le jeune Philibert Delorme y élève une galerie d'inspiration italienne, avant de quitter la ville et de devenir un des grands architectes du XVIe siècle, créateur d'Anet et des Tuileries.

PORTE DE L'HÔTEL DE GADAGNE. Les grandes demeures lyonnaises sont la propriété de marchands italiens, tels les Gadagni et les Gondi. Très nombreuse, la colonie italienne domine la banque et les assurances. Elle finance les dépenses militaires du roi. (Lyon, musée Gadagne)

◀ *La reine Éléonore.*
Le mariage de
François avec la sœur
de Charles Quint
garantit la paix entre
les deux souverains.
(Chantilly, musée Condé)

Le second mariage ▶
de François Ier.
Il se déroule le
6 juillet 1530, au
monastère de Beyrie.
(Paris, B.N.F.)

LE ROY SE MARIE

Éléonore est le gage de la paix entre les deux frères ennemis. François l'avait entrevue quatre ans plus tôt, lors de sa captivité à Madrid. L'union est retardée, car Charles retient sa sœur en Espagne. Ce n'est que le 1er juillet 1530 qu'elle arrive en France avec les deux petits princes enfin libérés.

LA REINE ÉLÉONORE

Tandis que la France entière célèbre la délivrance des fils du roi, François rencontre sa fiancée en Gascogne. Leur mariage est célébré le 6 juillet, au monastère de Saint-Laurent-de-Beyrie. Il s'agit, pour les deux époux, de secondes noces : âgée de 31 ans, Éléonore a déjà été unie, de 1519 à 1521, au roi de Portugal Manuel Ier.

La reine est dignement fêtée. Son couronnement à Saint-Denis, puis son entrée dans Paris ont lieu en mars 1531. Les festivités sont préparées par le grand maître Anne de Montmorency, qui voue à Éléonore une admiration sans bornes. Le roi au contraire, peu conquis par les charmes de son épouse, profite de cette occasion pour venir publiquement saluer à son balcon sa maîtresse, Anne de Pisseleu. Le secré-taire du roi Guillaume Bochetel compose et fait diffuser un livret abondamment illustré de l'*Entrée de la royne dans sa bonne ville de Paris*. Cet opuscule de propagande est surtout destiné à rassurer l'opinion publique sur les nouvelles relations avec l'Empereur.

LES FEMMES AIMÉES

En 1529, François est encore un bel homme, aux yeux en amande et à la barbe châtain. À son époque, ses contemporains, à l'approche de la quarantaine, ont déjà un pied dans la tombe et l'apparence de vieillards. On chuchote qu'il aurait contracté en Italie le terrible « mal de Naples », la syphilis. Malgré des abcès réguliers qui occasionnent fièvres et souffrances, le roi chevauche à perdre haleine dans les forêts giboyeuses, danse, versifie, et se montre galant homme, conformément à sa réputation.

Les femmes aimées furent nombreuses. En-dehors de Louise, passionnée de politique et de diplomatie, et de Marguerite, conseillère littéraire et spirituelle, aucune des maîtresses et épouses royales n'a eu de rôle politique. François voue à sa mère une reconnaissance immense pour avoir tenu les rênes

Les épouses et les filles de François Ier.
Seule des filles, Marguerite, née en 1523, survivra à son père.
(Paris, B.N.F.) ▼

Les fils du roi. ▶
Le dauphin François meurt en 1536, Charles, en 1545, Henri II succédera à son père.
(Paris, B.N.F.)

Les rimes de l'amour

Françoise de Châteaubriant avait inspiré au roi de nombreux poèmes et c'est un poème de François qui nous apprend son hésitation entre la brune Françoise et la blonde Anne :

« D'en aimer trois ce m'est force et contrainte :

« L'une est a moi trop pour ne l'aimer point,

« Et l'autre m'a donné si vive atteinte,

« Que plus la fuis, plus sa grace me point.

« La tierce tient son cœur uni et joint,

« Voire attaché de si tres pres au mien

« Que je ne puis ni veux n'etre point sien. »

Le roi donne le ton et toute la Cour versifie avec lui. Anne de Pisseleu se lamente, également en vers, du mariage de son royal amant avec Éléonore de Habsbourg, « pour la douleur d'amour et la pitié ».

du royaume en son absence. À sa sœur le rattache un lien très fort depuis leur enfance sans père. Il n'aima guère sa première épouse, Claude de France, mais celle-ci avait su le toucher par sa discrétion et sa constance à lui donner une descendance nombreuse.

FRANÇOIS EN FAMILLE

Éléonore inspire peu d'amour à son époux. Elle n'est plus une jeune fille, et ne lui donne aucun héritier. Il est vrai que son mariage est avant tout politique. La place de la nouvelle reine est donc modeste. Elle est patiente, sage et discrète, et son arrivée ne change pas grand-chose à l'organisation de la cour. On lui prête un certain charme, des dons pour la danse et le luth, mais des jambes assez courtes.

À en croire Marguerite de Navarre, la reine exigeait du roi de nombreuses attentions intimes, que celui-ci n'aurait pas été enclin à lui accorder. Elle ajoute : « Je ne voudrais, pour tout l'or de Paris, que le roi de Navarre se déclarât aussi peu satisfait dans mon lit que mon frère dans celui de sa femme ». Il ne reste à Éléonore qu'à prendre son parti de l'indifférence royale. En 1530, le couple royal a cinq enfants vivants, âgés de 13 à

7 ans - la princesse Charlotte est morte en 1524. Le dauphin François et le duc d'Orléans viennent de passer trois ans dans les prisons espagnoles. Charles, duc d'Angoulême, qui a 8 ans, est resté à la Cour. Les deux filles sont destinées à servir la politique royale : Madeleine épousera Jacques V Stuart en 1537 et mourra l'année même, âgée de 17 ans ; Marguerite, née en 1523, deviendra duchesse de Savoie.

LES DAMES DE CŒUR

Pour l'affection, le roi a sa mère et sa sœur. Pour l'amour, il a les favorites. Françoise de Châteaubriant, fière et passionnée, est évincée en 1528. Elle exprime son désespoir dans des poèmes adressés au roi, qui montrent qu'elle était douée pour les vers et fort cultivée.

Anne d'Heilly, demoiselle de Pisseleu, a rencontré François en 1526. Elle a pris très vite dans le cœur et le lit du roi une place qu'elle ne quittera qu'à la mort du souverain. L'attachement de François pour Anne a été le plus long de son existence. Très différente de sa rivale, elle est enjouée et spirituelle, qualités que François recherche chez les femmes. Elle passe pour une intrigante et se distingue déjà par son inimitié envers M. de Montmorency. Soucieux de donner à sa maîtresse un rôle officiel à la Cour, le roi nomme Mlle de Pisseleu gouvernante de ses filles Madeleine et Marguerite. Elle tient une place d'honneur dans les fêtes de cour, la reine Éléonore elle-même doit souvent partager sa litière avec elle.

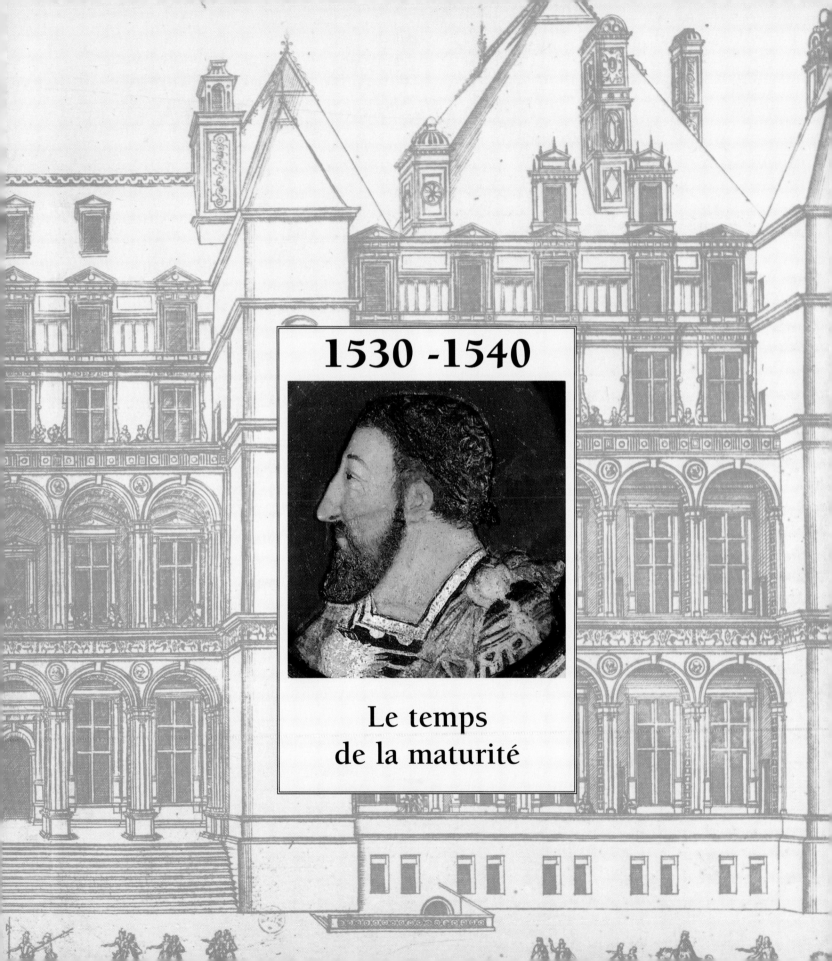

1530 -1540

Le temps de la maturité

Louise de Savoie. ▶
La mère du roi meurt le 22 septembre 1521. Son corps est inhumé en la basilique de Saint-Denis.
(Paris, musée du Louvre)

Carte de la Bretagne. ▶
Léguée par Claude de France au dauphin François, la Bretagne sera intégrée définitivement au domaine royal en 1536.
(Chantilly, musée Condé)

LA PAIX INTÉRIEURE

La « paix des dames » a calmé les troubles qui agitaient la France depuis la libération du roi. En 1530, la fin des conflits dans lesquels il s'était embourbé permet à François Ier de donner un nouveau départ à son règne. Montrer sa nouvelle épouse et le dauphin François à son peuple, le rassurer sur sa santé et sur son désir de reprendre les rênes du pouvoir, voilà le but du voyage qui, de 1531 à 1534, jette à nouveau la Cour sur les grands chemins.

UN NOUVEL ENTOURAGE

Il faut désormais vivre dans un monde où les familiers des premières années ont peu à peu disparu. Louise de Savoie meurt le 22 septembre 1531, alors qu'elle regagne son château de Romorantin, entourée de sa fille et de son trésorier, Babou de la Bourdaisière. François, qui n'a pu assister sa mère dans ses derniers moments, s'évanouit devant le lit funèbre. Des obsèques dignes d'une reine sont organisées pour elle à Saint-Denis. Est-ce par désespoir d'avoir perdu sa mère que le roi entreprend alors un nouveau voyage à travers son royaume ? Anne de Pisseleu, le dauphin, et sa nouvelle épouse Éléonore l'accompagnent dans ce périple.

UN NOUVEAU TOUR DE FRANCE

La Cour se met en route au mois de novembre 1531. De Compiègne, on gagne Amiens, puis Abbeville. Le 13 janvier 1532, François rend visite, à Dieppe, à l'armateur Jean Ango, qu'il chargera quelques années plus tard d'expéditions par-delà l'océan. Comme en 1517, Rouen reçoit fastueusement le roi et sa cour, avec quatre entrées somptueuses : celle du roi, du chancelier Duprat, du dauphin François et de la reine. Passant par Le Havre, port créé à l'initiative du roi, et Honfleur, la Cour arrive à Caen. François passe ensuite le mois de mai en Bretagne, chez son ancienne maîtresse, Françoise de Châteaubriant. Les mariages successifs d'Anne de Bretagne avec Charles VIII et Louis XII n'avaient pas rattaché son duché au domaine royal. Par héritage, la Bretagne avait échu à Claude de France, qui en avait confié l'administration à son royal époux ; en 1524, c'est à son fils, le dauphin François, qu'elle la lègue par testament. Lors du voyage de 1532, le roi fait reconnaître par les États de Bretagne ce dernier comme duc légitime, à coups de faveurs et de pots-de-vin. Le traité de Vannes, en août 1532, prévoit l'intégration de la Bretagne au domaine royal au cas où le dauphin mourrait. C'est ce qui arrivera en 1536.

Le mariage d'Henri ▶ d'Orléans (1533).
Le second fils du roi épouse Catherine de Médicis en présence du pape Clément VII.
(Fresque de Vasari, Florence, galerie des Offices)

◀ *François Ier.*
Le roi est désormais un homme mûr, un bâtisseur, mais la question protestante menace d'assombrir son règne.
(Écouen, musée de la Renaissance)

DE NOUVEAUX ALLIÉS ?

La Cour séjourne en Val de Loire, puis revient à Paris à l'automne 1532. L'année suivante, le voyage continue par le Berry, l'Auvergne, le Lyonnais et le Languedoc. Le 8 octobre 1533, l'on accueille à Marseille Catherine de Médicis, nièce de Clément VII, la fiancée d'Henri d'Orléans. Remontant vers la capitale par la Lorraine, le roi acquiert le comté de Montbéliard, place forte qui lui permet de surveiller la frontière de l'Est, où des troubles agitent les principautés allemandes contre Charles Quint. Le voyage s'achève le 9 février 1534.

LA NOUVELLE SITUATION RELIGIEUSE

La période 1530-1534 connaît une relative tolérance religieuse, mais le roi ne choisit pas encore son camp et on peut suivre les étapes de ses hésitations. En 1531, le confesseur de Marguerite de Navarre, Gérard Roussel, est accusé par la Sorbonne de prêcher l'hérésie en l'église Saint-Germain-l'Auxerrois, à Paris. La faculté s'acharne contre la reine de Navarre elle-même, dont les sympathies pour la Réforme sont connues. En 1533, le roi intervient en personne pour faire retirer de l'index – la censure ecclésiastique – son poème *Le Miroir de l'âme pécheresse*. Les théologiens sont contraints de s'incliner. Le syndic de Sorbonne, Noël Béda, est exilé de Paris.

1534 : LE SCANDALE DES PLACARDS

La situation se détériore en 1534. Dans la nuit du 17 au 18 octobre, des protestants affichent des placards dans le royaume, jusque sur la porte de la chambre du roi à Blois. C'est un acte sacrilège, directement dirigé contre François, une provocation contre l'Église et contre son autorité.

Le roi réagit violemment. Les protestants, qu'il a jusqu'ici ménagé, sont des ingrats, des « mal sentants de la foi ». Le 21 janvier 1535, au cours d'une procession expiatoire, François réaffirme sa foi dans le dogme catholique et annonce une ferme répression des protestants ; six hommes, dénoncés comme hérétiques, sont brûlés vifs. La première mesure officielle consiste à faire examiner tous les ouvrages par une commission du Parlement. Grâce à un arsenal répressif, les parlementaires retrouvent leur autorité au détriment des tribunaux religieux. Le syndic Béda est rappelé à Paris et une commission spéciale du Parlement chargée de poursuivre les hérétiques, la « chambre ardente », est créée en 1535.

Pourtant le roi doit maintenir sa réputation outre-Rhin, où la propagande impériale a beau jeu de souligner le paradoxe d'une répression sévère à l'intérieur, alors qu'à l'extérieur François courtise les protestants allemands. L'édit de Coucy suspend donc, le 16 juillet 1535, les procédures en cours contre les suspects, à la condition que ceux-ci reviennent à la foi catholique. Mais le pardon du roi est de courte durée : dès 1538, l'édit est aboli et la répression reprend de plus belle.

François Ier, ▲
par le Titien.
Le grand maître
vénitien envoie
ce portrait au roi
vers 1538.
(Paris, musée du Louvre)

Le roi et les lettres. ▶
Antoine Macault
lit sa traduction de
Diodore de Sicile à
François Ier.
(Chantilly, musée Condé)

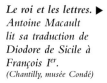

LE PRINCE DES LETTRES ET DES ARTS

Prince de la Renaissance, François Ier l'est avant tout par le soutien qu'il apporte aux artistes. Ses demeures sont les symboles de la Renaissance française, fortement marquée par l'influence italienne. Mais le roi est aussi un lettré et un poète, conquis par l'idéal humaniste, ami des écrivains et protecteur des érudits.

ARTISTES ET ARCHITECTES

À partir de 1528, François Ier séjourne habituellement dans ses châteaux de la région parisienne, où abondent les forêts giboyeuses : Boulogne, Fontainebleau et Saint-Germain-en-Laye. Il s'entoure d'artistes italiens : les peintres Giovanni Battista Rosso, Luca Penni, élève de Raphaël, Francesco Primaticcio (dit le Primatice), et Nicolo Dell'Abate, qui travaillent à Fontainebleau ; l'ébéniste Francisque Scibec de Carpi ; le sculpteur Benvenuto Cellini. Le célèbre architecte Sebastiano Serlio les rejoint en 1541 à la Cour, où il achève son *Traité d'architecture*. Avant le règne d'Henri II, l'architecte n'est pas véritablement un maître d'œuvre, chargé de coordonner le travail des métiers et de présenter au commanditaire une vue d'ensemble du chantier. Le roi désigne à cet effet

un homme de confiance, qui surveille les travaux, dialogue avec les artistes et ordonne les dépenses. Cette surintendance des bâtiments revient en 1528 à une commission de financiers, dominée par Nicolas de Neuville et, après 1536, par le trésorier de l'Épargne, Philibert Babou de la Bourdaisière.

LES CHÂTEAUX DU ROI

La grande œuvre est le château de Fontainebleau, rebâti après 1527 sur une résidence du XIIIe siècle. Les nouveaux pavillons sont terminés en 1535, la galerie de l'aile sud en 1537, et de nouvelles galeries ou portiques en 1541. Les décorateurs, dirigés par le Rosso, y peignent des décors symboliques et emblématiques.
En 1528, on entreprend un autre château, dit de Madrid, au bois de Boulogne. Aujourd'hui détruit, il s'ornait de faïences du sculpteur italien Girolamo Della Robbia. Saint-Germain-en-Laye est commencé en 1539, dans un décor brique et pierre. À Paris même, le palais médiéval du Louvre est peu à peu aménagé pour répondre aux besoins de la vie de cour. Le donjon du XIIIe siècle est rasé en 1527, mais l'architecte Pierre Lescot ne commencera qu'en 1546 la construction du

◀ *Guillaume Budé (1467-1540).*
Grand helléniste, maître de la
Bibliothèque royale, il obtient
du roi la fondation du collège
des lecteurs royaux,
pensionnaires du Trésor.
(Versailles, musée du Château)

▲ *Oronce Finé (1494-1555).*
Ce mathématicien et
cartographe est l'auteur
de la première carte de
France, imprimée en 1525.
(Paris, B.N.F.)

◀ *Reliure avec l'anagramme*
de François Ier.
En 1536, le roi crée le dépôt
légal : la Bibliothèque royale
recevra un exemplaire de
tout ouvrage imprimé.
(Paris, Bibliothèque Mazarine)

nouveau Louvre, projet majeur du milieu du XVIe
siècle. Le décor des demeures royales est somptueux : des
tableaux, comme la *Léda* de Michel-Ange (1536) ou le
portrait du roi par Titien (vers 1538) ; des moulages de statues antiques, rapportés d'Italie par le Primatice, comme
l'*Apollon du Belvédère* ; des tapisseries tissées à Bruxelles sur
des cartons de Jules Romain (l'*Histoire de Scipion*) ou de
Raphaël (*Les Actes des Apôtres*).

LE « PÈRE DES LETTRES »

Le roi est aussi le prince des lettres. En premier lieu, il encourage l'établissement des textes antiques et la traduction des
auteurs latins et grecs. En 1522, le grand helléniste Guillaume
Budé devient maître de la Bibliothèque royale. Il constitue
une extraordinaire collection, riche en manuscrits anciens,
mais pauvre encore en imprimés. Aussi le roi crée-t-il en
1536 le dépôt légal : un exemplaire de tout imprimé sera
envoyé à la bibliothèque royale, dont les fonds témoigneront
de la gloire littéraire du règne.
François veut encourager plus encore les humanistes. Il ne
se contente pas d'offrir aux érudits de son entourage le libre
accès à sa bibliothèque. En 1530, à la demande de Guillaume
Budé, il fonde le collège des lecteurs royaux, à l'origine du
Collège de France. Les professeurs ne disposent pas encore
d'un lieu établi. Pensionnés par le Trésor, ils donnent des
conférences publiques de grec, de latin, d'hébreu, de mathématiques, de médecine et de philosophie. L'un d'eux, le
mathématicien et ingénieur Oronce Finé, dessine la première
carte de France en 1525. La Sorbonne proteste contre cet
enseignement libre et gratuit qui répand, selon elle, des doc-
trines hérétiques, mais les poursuites sont peu nombreuses.

L'AMI DES POÈTES

Amateur de poésie et de musique, le roi s'entoure d'auteurs
et de poètes. Il protège en particulier le poète Clément
Marot, traducteur de Virgile et d'Ovide, capturé comme lui
à la bataille de Pavie. Les dizains, rondeaux et ballades des
poètes de cour chantent l'amour et les dieux. La poésie
devient une activité d'initiés, appréciée par les courtisans.
Elle ne sert pas seulement à faire l'éloge des prouesses du
roi ou à moquer ses ennemis, mais célèbre aussi les naissances,
les mariages et les décès ayant lieu à la Cour. Le roi lui-
même est l'auteur de plus de deux cents poèmes, dont la
plupart semblent avoir été écrits avant 1535. Certains sont
mis en musique par des compositeurs au service du roi, tels
Claudin de Sermisy, Clément Janequin et Pierre Sandrin,
qui portent au plus haut la renommée de l'école française.
La littérature, dominée par le génie de Rabelais, se fait tru-
culente : *Pantagruel* est publié en 1532, *Gargantua* en 1534.
Curiosité intellectuelle, mélange de culture nationale et
d'érudition antique, rejet de l'intolérance et de la scolastique,
voilà les caractéristiques de cet âge d'or des lettres françaises.

La gloire de Fontainebleau

Dès 1527, François Ier commence l'aménagement du château de Fontainebleau. Pour les travaux, les plus importants de son règne, il réunit des artistes italiens et français qui feront école. L'immense chantier allie, en une collaboration sans précédent en France, maçons, peintres, sculpteurs et décorateurs.

GALERIE FRANÇOIS Ier. La longue galerie, située au premier étage, est décorée entre 1533 et 1539 par l'équipe du peintre florentin Rosso. Au-dessus des panneaux de bois sculptés, les fresques à thème mythologique sont encadrées par un décor de stuc (nus, hermaphrodites, putti, guirlandes de fleurs...). La galerie demeure fermée, et le roi s'en sert comme d'un lieu de prestige, où il promène ses hôtes de marque.

AILE DE LA GALERIE FRANÇOIS Ier. Elle relie l'ancien et le nouveau château. La galerie est située à l'étage. Au rez-de-chaussée, les appartements des Bains, lieu de détente, où le roi conserve sa collection de tableaux et d'objets précieux.

L'ÉLÉPHANT ROYAL. *Les fresques de la galerie du Roi, inspirées de l'art triomphal de la Rome antique, glorifient le règne de François Ier. L'éléphant, revêtu d'un manteau fleurdelisé orné d'un « F », domine les éléments incarnés par Zeus (le feu), Neptune (l'eau) et Pluton (la terre). Le décor a été exécuté en toute hâte en 1539, en vue de la visite de Charles Quint.*

L'ÉCOLE DITE DE FONTAINEBLEAU
L'architecture des châteaux royaux évolue vers le style « classique » : les plafonds s'ornent de caissons décorés de salamandres, des escaliers droits apparaissent, les corps de logis se flanquent de pavillons latéraux, mariant brique et pierre. L'équipe d'artistes travaillant pour François Ier reçoit le nom d'« école de Fontainebleau ». Souvent italiens, ils définissent sur ce chantier prestigieux un style particulier. Mais les hommes de Fontainebleau n'accaparent pas, à eux seuls, la faveur royale. François dépense 100 000 écus par an pour ses travaux.

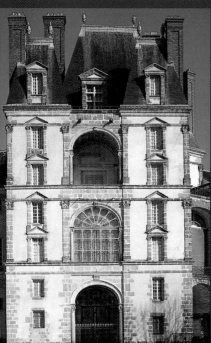

LA PORTE DORÉE. *Elle ouvre sur l'ancienne cour du donjon. Bâti en grès par le maçon Le Breton, le châtelet d'entrée présente deux loggias superposées, qui rappellent les palais de Naples et d'Urbino.*

LA CHAMBRE DE LA REINE. *La cheminée, décorée entre 1534 et 1537, est le seul vestige de la chambre d'Éléonore de Habsbourg. Au milieu d'un décor de stuc en haut relief – un des premiers en France –, le Primatice a peint le mariage de Vénus et d'Adonis.*

Jacques Cartier ▶
et ses compagnons.
L'explorateur du Canada
figure sur une carte
de la fin du XVIe siècle.
(Londres, British Library)

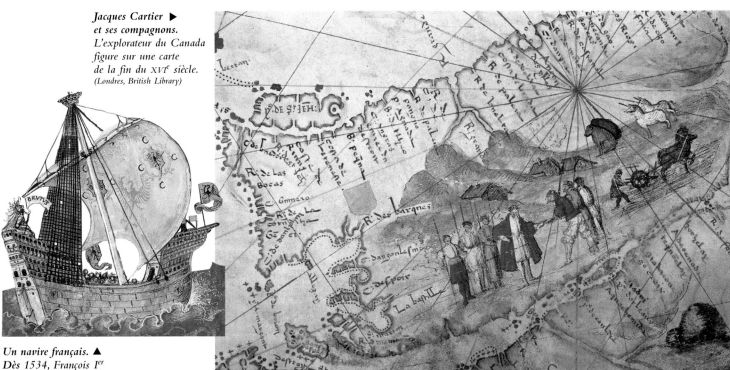

Un navire français. ▲
Dès 1534, François Ier
charge Jacques Cartier
d'explorer une nouvelle
route vers la Chine.
(Chantilly, musée Condé)

LES AVENTURES MARITIMES

Traditionnellement, les rois de France s'intéressaient aux expéditions maritimes lointaines dans une optique commerciale. François Ier, quant à lui, y voit un élément prestigieux de politique internationale et espère que la découverte d'or lui permettra de poursuivre ses expéditions italiennes.

PREMIER VOYAGE À L'OUEST

Dès les années 1520, des aventuriers se lancent sur l'Océan, à la demande du monarque. En 1525, le corsaire florentin Giovanni Verrazano tente de trouver un passage pour gagner la Chine par l'ouest. L'expédition est financée par les banquiers lyonnais et par un armateur dieppois, Jean Ango. Parti de Dieppe, Verrazano aborde sans doute en Floride, puis longe la côte jusqu'à Terre-Neuve. Il fait une description détaillée des pays visités, les baptise d'après les noms des grands personnages de France, et rencontre des indigènes. Toutefois, il ne trouve pas de passage vers l'Asie, et sa formidable expédition a pour le roi le goût de l'échec. En 1528, lors d'un nouveau voyage vers l'Amérique centrale, Verrazano est capturé aux Antilles. Il aurait été dévoré par les cannibales.

LE MONOPOLE HISPANO-PORTUGAIS

Le roi de France veut affirmer la liberté de naviguer sur les océans. Il se heurte en cela à l'Espagne et au Portugal. Depuis 1494, date du traité de Tordesillas, ces deux royaumes se partagent sous l'égide de la papauté l'océan Atlantique et les terres inconnues qui le bordent. Jaloux de son monopole, le roi Jean III de Portugal interdit aux marins français de croiser dans les eaux brésiliennes et guinéennes.

Les pays ibériques sont très en avance sur la France dans l'exploration et la conquête du Nouveau Monde : Magellan commence en 1519 son voyage autour du monde, Cortès conquiert le Mexique à partir de 1519 et les Portugais sont présents au Japon en 1542.

VERS DE NOUVELLES EXPÉDITIONS

François ne peut se satisfaire du partage arbitraire du Nouveau Monde. Autour du roi, les avis sont partagés. Le groupe de la duchesse d'Étampes s'oppose à l'expansion sur mer, tandis que l'amiral Chabot y semble favorable. Mais ce dernier songe surtout à s'enrichir : il accepte aussi bien l'argent

◀ *Jacques Cartier (1491-1557). Le capitaine malouin prend possession du Canada au nom de François Ier. (Aix-en-Provence, Archives de la France d'outremer)*

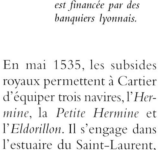

▲ *Giovanni Verrazzano (1485-1528). Son exploration de la côte nord-américaine est financée par des banquiers lyonnais.*

Jean Ango (1480-1551)
Il est le fils d'un marchand rouennais. Installé à Dieppe, où il était à la fois armateur, banquier et entrepreneur, il finance et organise les premiers grands voyages des navigateurs français aux Indes occidentales et orientales (Amérique et Indonésie). En 1533, Ango reçoit le roi dans son manoir normand de Varengeville (*ci-dessus*). François l'anoblit alors et lui confère la charge de gouverneur de Dieppe. En 1545, Il est chargé de ravitailler les troupes parties envahir l'Angleterre. Ses multiples opérations financières finissent cependant par le ruiner.

des Portugais que celui de Jean Ango, dont il tolère le trafic avec les colonies portugaises.

Il est vrai que les pratiques des gens de mer relèvent davantage de la piraterie que de la diplomatie ou du commerce. En 1522, le corsaire Jean Denys saisit les galions qui rapportent du Mexique les trésors de l'Espagnol Cortès.

En 1533, François Ier conteste l'interprétation du traité de Tordesillas, sur la suggestion de Jean Le Veneur, abbé du Mont-Saint-Michel. Le pape Clément VII, qui veut marier sa nièce Catherine de Médicis au second fils du roi, se laisse persuader. Au grand dam de Charles Quint, il reconnaît aux Français le droit d'explorer les continents inconnus.

LES VOYAGES DE JACQUES CARTIER

Jean Le Veneur, devenu cardinal, introduit le Malouin Jacques Cartier auprès de François Ier. Le roi soutient la volonté de l'explorateur de découvrir une nouvelle route maritime vers la Chine. Avec des capitaux malouins, Cartier arme deux petits bateaux et recrute soixante marins – non sans difficultés, car c'est la saison de la pêche à la morue. La première expédition se déroule d'avril à septembre 1534. Les navires français arrivent à Terre-Neuve, longent le Labrador et gagnent la rive sud du Saint-Laurent jusqu'à Gaspé, dont Cartier prend possession au nom du roi le 24 juillet. Il y rencontre ses premiers Indiens, les « Mikmaks », et s'en retourne accompagné de deux indigènes. Il repart déçu, sans or ni argent, mais les Indiens lui ont parlé d'un vaste royaume à l'intérieur des terres, le Saguenay, et d'un métal qui a l'apparence de l'or – il s'agit en fait de cuivre natif.

En mai 1535, les subsides royaux permettent à Cartier d'équiper trois navires, l'*Hermine*, la *Petite Hermine* et l'*Eldorillon*. Il s'engage dans l'estuaire du Saint-Laurent, à la recherche du pays « Canada ». Cartier atteint Hochelaga, bourgade indigène peu hospitalière, qu'il baptise Montréal, du nom d'un seigneur languedocien dont il a embarqué le fils. Il se replie ensuite sur Sainte-Croix, où il érige une croix en l'honneur du roi. C'est l'hiver, les Indiens sont hostiles, les équipages sont minés par le scorbut. Au mois d'avril 1536, Cartier décide de rentrer en France.

DE NOUVELLES AMBITIONS

La troisième expédition est d'une autre nature : François Ier et le pape Paul III veulent montrer que les Français sont aussi capables que les Espagnols d'évangéliser le Nouveau Monde. Cartier est nommé capitaine général, mais l'expédition est placée sous l'autorité du lieutenant général, Jean-François de Roberval, qui doit implanter une colonie catholique. En mai 1541, Cartier part seul de Saint-Malo et passe au Québec un hiver difficile. Il y fonde une nouvelle ville, Charlesbourg, baptisée ainsi en l'honneur du troisième fils de François Ier. Roberval atteint Terre-Neuve en juin 1542, avec 200 personnes. Il y croise Cartier sur le départ. Les arrivants trouvent Charlesbourg incendié. Ils tentent d'implanter une colonie, mais la guerre contre Charles Quint, qui a repris, provoque le rappel de Roberval en 1543.

Catherine d'Aragon. ▶
Afin de la répudier,
Henri VIII d'Angleterre
rompt avec la papauté
en 1533.
(Florence, galerie des
Offices)

Maurice de Saxe. ▶
Ce prince protestant
s'allie par ambition
avec Charles Quint.
(Reims, musée
des Beaux-Arts)

La trêve de Nice (1538). ▶
Le pape Paul III
y réconcilie brièvement le roi
de France et l'Empereur.
(Rome, palais Farnèse)

Le divorce du roi d'Angleterre (1533)

François Ier est mis en position délicate par la rupture avec Rome d'Henri VIII, son principal allié depuis 1527. Henri désire se séparer de sa femme, Catherine d'Aragon, incapable d'assurer la succession au trône en lui donnant un fils. Mais sous la pression de Charles Quint, neveu de la reine, le pape Clément VII refuse le divorce. En 1533, Henri VIII déclare nul l'avis du pape et s'introne chef suprême de l'Église d'Angleterre. L'Acte de suprématie (1534) pose les fondements de l'anglicanisme et vaut au roi d'être excommunié en 1538.

À LA RECHERCHE D'ALLIÉS

Après 1530, François cherche à nouer des alliances qui pourront le garantir contre d'éventuelles hostilités impériales. Il se rapproche du pape Clément VII et flatte deux partenaires qui constituent des menaces pour l'Empire : les Turcs et les princes protestants du Saint Empire.

LE PAPE ET LES LUTHÉRIENS

L'alliance avec le pape Clément VII, contractée en octobre 1533 lors du tour de France, est éphémère. Le pape s'éteint bientôt, le 25 septembre 1534. Un seul acquis demeure : la nièce de Clément, Catherine de Médicis, a épousé le futur Henri II. La nouvelle belle-fille de François Ier sera l'une des plus grandes reines de France.

Les luthériens allemands sont une autre pièce de l'échiquier. La diète de Spire (1529) a donné le nom de « protestants » aux princes qui attestaient publiquement de leur foi contre le très catholique Charles Quint. La confession d'Augsbourg (1530) offre un corps de doctrine unifié aux luthériens. Tous ne s'opposent pas à Charles Quint : Maurice, duc de Saxe, rejoint le camp impérial dans l'espoir d'obtenir la dignité d'électeur. En 1531, les protestants les plus décidés s'allient au sein de la ligue de Smalkalde. François, qui veut encourager les confédérés à réagir contre la politique unificatrice de l'Empereur, envoie outre-Rhin deux ambassadeurs en relation avec les milieux humanistes allemands : les frères Du Bellay – Guillaume, sire de Langey et Jean, évêque de Paris. Mais la répression des protestants français et l'alliance turque ne tardent pas à refroidir cette amitié naissante.

L'ALLIANCE TURQUE

L'alliance avec les Turcs choque les mentalités chrétiennes : depuis les croisades, le Turc est considéré comme le profanateur du tombeau du Christ à Jérusalem. Mais François, bien informé par ses ambassadeurs, pense pouvoir s'entendre avec le sultan Soliman, protecteur des arts et des lettres, administrateur et chef de guerre hors pair.

Les relations, entamées dès 1524, se poursuivent après 1526. Le roi envoie en ambassade Rincon, un transfuge espagnol. Il entre aussi en relations avec le capitan-pacha d'Alger, dont les galères peuvent interrompre les relations entre l'Espagne et la Sicile. En 1534, une ambassade turque est reçue à Marseille et rejoint la cour à Châtellerault. Elle débouche en

**Soliman II
« le Magnifique »
(1495-1566)**

Le sultan accède au trône ottoman en 1520. Ses campagnes militaires l'amènent à prendre Belgrade et Rhodes, à annexer la moitié de la Hongrie, et à assiéger Vienne, en vain, en 1529. Son pouvoir s'étend sur le bassin méditerranéen et jusqu'à l'océan Indien. Surnommé « le Législateur » en Turquie, il perfectionne les institutions et multiplie le nombre des fonctionnaires afin d'obtenir une meilleure application des lois. Mécène, il protège les artistes et les poètes et mène une active politique de construction – de nombreuses mosquées et l'aqueduc d'Istanbul voient le jour. Le luxe extraordinaire de sa cour est célèbre auprès des États chrétiens. *(ci-dessous, sa signature au bas d'une lettre adressée au roi de France, Paris, Archives nationales)*

1535 sur un accord militaire officiel, assorti d'avantages commerciaux pour les Français (les « capitulations »). Jean de La Forêt, ami de Guillaume Budé, est la cheville ouvrière des négociations. Il se rend à Alger, où il demande au capitan-pacha de monter une expédition contre Gênes et la Corse, et à Constantinople, où il sollicite auprès de Soliman un subside d'un million d'écus et l'organisation d'une expédition de diversion contre Naples.

LA GUERRE PERPÉTUELLE

La mort de François-Marie Sforza, dernier duc de Milan, en novembre 1535, rappelle François Ier à ses vieilles ambitions. La reprise de la guerre est risquée, car depuis sa paix séparée de 1529 et son accord avec les Turcs, le roi de France a la réputation d'un allié douteux. Le conflit s'engage au début de 1536 : l'amiral Chabot envahit les terres du duc de Savoie, oncle de Charles Quint. L'Empereur riposte en juillet par l'invasion de la Provence, mais François a fait vider et dévaster la province, et les Impériaux doivent s'en retourner à la mi-septembre. Les deux adversaires n'ont pas les moyens de leur affrontement. Les opérations de 1537, menées en Picardie et Piémont, aboutissent vite à la trêve de Monzon. Les frustrations et les revendications des deux compères restent les mêmes, mais le manque de finances les contraint à la paix. À Nice, en juin 1538, le pape Paul III parvient à ménager une trêve de dix ans.

L'ENTREVUE D'AIGUES-MORTES

Le 14 juillet 1538, à Aigues-Mortes, Charles Quint et François Ier, qui ne s'étaient pas vus depuis 1526, tombent dans les bras l'un de l'autre et se promettent un pardon mutuel. L'étiquette et la politesse sont respectées : François, qui accueille sur ses terres, vient saluer le premier Charles à bord de sa galère. Le lendemain, l'Empereur débarque et rend sa visite. Symboliquement, l'on échange la Toison d'or, contre le collier de l'ordre de Saint-Michel. L'entrevue réunit un instant les deux cours les plus brillantes d'Europe. C'est un événement exceptionnel dans un autre domaine, la musique, car s'y croisent les trois chapelles les plus réputées de la chrétienté, celles de l'Empereur, du roi de France et du pape.

La Renaissance en musique

Si l'Italie est le centre de la création musicale, la France du XVIᵉ siècle ne démérite pas dans ce domaine des arts. Les polyphonies élaborées de la chapelle royale, influencées par l'école franco-flamande du XVIᵉ siècle, et surtout les recueils de chansons et de danses, répandus par les imprimeurs parisiens et lyonnais, sont réputés dans l'Europe entière.

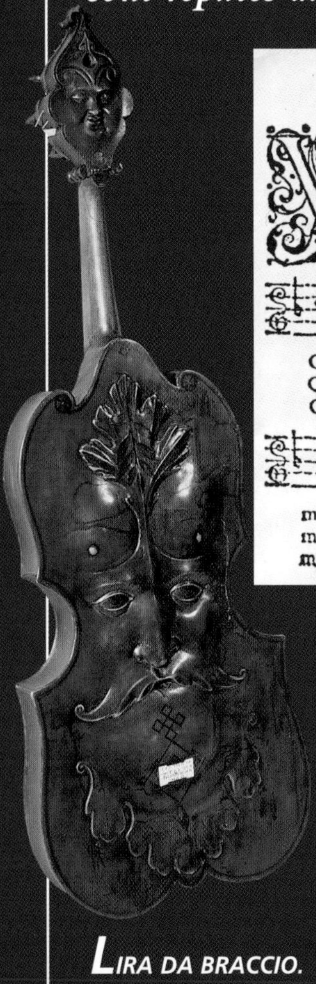

MUSICIENS À CHEVAL. *Les cérémonies de cour, mais aussi la musique polyphonique – messes, motets et madrigaux – font un grand usage des trombones, des cornets et des trompettes. La plupart des musiciens mènent une vie itinérante. (Écouen, musée de la Renaissance)*

SVPERIVS. 2

Ous me tuez si doucement Auecque tourmãs tãt benins
Si glorieux je suis d'aymer, Et tant satisfait, tant heureux,
Puis que si doucement je meurs Auecque tourmẽt taut benins

Que ne sçay chose de douceur Pl⁹ douce qu'est ma douce mort S'il faut mourir
Que je priz' vn de mes ennuis Cent mille biẽs d'vn' autre main S'il faut mourir
Que ne sçay chose de douceut Pl⁹ douce qu'est ma douce mort S'il faut mourir

mouron d'amour.
mouron d'amour.
mouron d'amour.

A .:)

CHANSON FRANÇAISE. *Le règne de François Iᵉʳ coïncide avec le règne de la chanson française, fondée sur des techniques savantes, mais surtout sur une poésie amoureuse où la truculence le dispute à la sensibilité. Les recueils imprimés de Pierre Attaingnant font connaître à l'Europe entière les auteurs des écoles parisienne et lyonnaise : Clément Janequin, Pierre Certon, Claudin de Sermisy, etc. (Paris, B.N.F.)*

LIRA DA BRACCIO. *Apparue dans l'Italie de la Renaissance, cette vièle (ou vielle) fait partie des nombreuses variantes qui précèdent ou se développent parallèlement au violon, qui deviendra l'instrument à cordes par excellence. (Vérone, collection Obbizzi)*

LES MUSICIENNES.
Les particuliers s'adonnent
à la pratique instrumentale
et au chant (parfois en
compagnie, comme pour
les chansons de Janequin).
Le luth est l'instrument
le plus populaire. Il peut
accompagner la voix ou
se jouer seul, en improvisa-
tions et en variations sur
des airs célèbres.
La reine Éléonore en jouait,
dit-on, avec talent.
(Saint-Pétersbourg,
musée de l'Ermitage)

ANGE AVEC VIÈLE.
Les vièles et violes, très
populaires, se jouent au
sein d'ensembles. Leur
répertoire se compose
surtout de « danceries »,
recueillies par Pierre
Attaingnant, Claude Gervaise
et Jacques Moderne. (Léonard
de Vinci, Londres, National
Gallery)

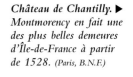

**Le
dauphin
François**
Né le 28 février
1518 à Amboise,
le jeune prince
(*ci-dessus, Chantilly,
musée Condé*) sert
d'otage à la cour de
Charles Quint de 1526 à 1530,
avec son frère Henri. À sa majorité,
en 1532, le dauphin est proclamé
duc par les États de Bretagne. Sa
mort, le 10 août 1536 à Tournon,
fait de la Bretagne une simple province du domaine royal et ouvre la
succession pour son frère, le futur
Henri II.

Anne de ▶
*Montmorency
(1493-1567).*
*Devenu connétable en
1538, il dirige la politique
de la France jusqu'à
sa disgrâce, en 1541.*
(Versailles, musée du Château)

Les armes du connétable. ▶
*La famille d'Anne de
Montmorency s'est
illustrée au service du
roi depuis le XIIIe siècle.*
(Chantilly, musée Condé)

LE RÈGNE DU CONNÉTABLE

François mûrit, ses enfants aussi. L'influence des jeunes princes à la cour grandit. Autour d'eux, de leurs conseillers et de leur entourage, se forment des partis et des coteries. Leur faible différence d'âge encourage d'ailleurs les luttes de pouvoir et une rivalité naît entre eux.

LA MORT DU DAUPHIN FRANÇOIS

François, l'aîné, était destiné au trône. Henri, duc d'Orléans, rongeait son frein. Charles n'avait pas grand-chose à espérer, n'étant que le troisième sur la liste des prétendants. Un coup de théâtre vient bouleverser cette ordonnance : la mort subite du dauphin François, le 10 août 1536. Il semble que le fils du roi ait bu un verre d'eau glacée à l'issue d'une partie de jeu de paume acharnée. L'émotion de chacun est extrême et le cardinal de Lorraine, chargé d'annoncer à François la nouvelle, ne peut articuler un seul mot. « J'entends bien, vous ne m'osez de premiere entrée dire qu'il est mort, mais seulement qu'il mourra bien tos », dit le roi amer.
Le cardinal de Tournon, le chancelier Du Bourg, François Ier lui-même soupçonnent Charles Quint d'avoir fait empoisonner le dauphin. Un serviteur italien, Sebastiano de Mon-

tecuculli est jugé et condamné par le Conseil en octobre 1536. Le malheureux est exécuté dans un déchaînement de violence populaire : son cadavre est déchiqueté par la foule, on lui arrache les yeux, la langue, on joue à la balle avec sa tête. Expression de douleur, cette scène de sauvagerie témoigne aussi de « la reverance et amour qu'ont les Francoys envers leurs princes, et quant grande doleur ilz ont, si les sentent offensez ».
En juillet 1535, le chancelier Duprat était mort, à l'âge de 72 ans. Tous les regards se tournent désormais vers Henri d'Orléans, le nouveau dauphin, et son ami Anne de Montmorency, dont la coterie tient le premier rang à la Cour.

LE CONNÉTABLE DE MONTMORENCY

Anne de Montmorency est depuis l'enfance un des proches du roi. Il appartient également au cercle des intimes du dauphin Henri. Déjà grand maître de France, il devient connétable en 1538. Comme son prédécesseur Charles de Bourbon, il est issu de la haute noblesse : les Montmorency se sont illustrés au service des rois capétiens et ont donné un connétable à la France dès le règne de Philippe Auguste. Héritier d'im-

menses domaines, situés surtout en Île-de-France, Anne de Montmorency est l'un des plus riches seigneurs du royaume. À sa mort, il possède quelque cent trente châteaux dispersés dans toute la France, qu'il ne cesse de rénover ou de transformer. Mécène, il reconstruit le château de son père à Écouen, et fait bâtir celui de Chantilly, où François ne manque d'ailleurs pas de séjourner lors des voyages officiels. Il est un représentant authentique de cette grande noblesse sur laquelle s'appuient François et ses fils, même s'ils s'en défient. Il s'est illustré à Ravenne sous Louis XII, à Marignan, à La Bicoque. Il a été capturé à Pavie avec le roi. Usant de sa faveur et de son influence sur le roi, Montmorency dirige la politique de la France entre 1536 et sa disgrâce en 1541. Après la mort de François Ier, il reprend une brillante carrière auprès de Henri II et son fils Charles IX.

LES PROJETS DE MARIAGE

Montmorency encourage vivement la paix avec l'Empereur, car le royaume est à court de deniers et le conseil est divisé. Les témoignages de réconciliation avec Charles Quint ne s'arrêtent pas après l'entrevue d'Aigues-Mortes : la gouvernante des Pays-Bas, Marie de Hongrie, se rend en France en octobre 1538. Sœur de Charles Quint, elle gouverne un État qui, bien que sous la suzeraineté de son frère, n'a pas officiellement souscrit à la trêve de Nice. Il faut donc que Marie en confirme les dispositions, d'autant plus que la France a été attaquée par les Impériaux sur le front nord. Un traité est signé entre eux à Compiègne le 23 octobre, par lequel François s'engage à ne pas soutenir les rebelles des Pays-Bas. François prend plaisir à faire la connaissance de sa belle-sœur. Ils partagent une passion, la chasse. Le roi tente de mettre à profit cette rencontre pour arranger le mariage de son fils Charles d'Orléans avec une fille ou une nièce de Charles Quint, afin de voir tomber, à terme, le Milanais dans l'escarcelle française. En décembre 1538, de nouveaux pourparlers avec l'Empereur aboutissent à une promesse d'union entre la fille du roi, Marguerite, et Philippe, fils de Charles Quint et futur roi d'Espagne. Mais ces projets n'iront pas plus loin.

LES SUCCÈS POLITIQUES DE MONTMORENCY

François est reconnaissant à Montmorency de lui ménager de si belles perspectives, sans guerre coûteuse à mener. Sa force physique n'est plus celle du jeune homme de Marignan. Les épreuves intimes l'ont durement éprouvé : décès rapprochés de son fils aîné, de sa fille Madeleine, éphémère reine d'Écosse en 1537, de son amie Françoise de Châteaubriant, assassinée – selon la rumeur – par un mari jaloux.
Montmorency accroît encore son pouvoir en poussant au pouvoir, à la mort du chancelier Du Bourg en 1538, l'un de ses affidés, Guillaume Poyet, parlementaire éminent et juriste cultivé. Le connétable parvient de même à évincer son principal rival, l'amiral Philippe Chabot, seigneur de Brion. Seule la duchesse d'Étampes, favorite en titre, reste inaccessible à ses atteintes. Elle profitera de sa disgrâce, en 1541, pour recouvrer son influence sur le roi.

LA VISITE DE L'EMPEREUR

L'entente entre François et Charles connaît son apogée lors de la visite de l'Empereur de novembre 1539 à janvier 1540. La ville de Gand, une des principales des Pays-Bas, s'est révoltée contre Charles Quint. Elle réclame en vain l'assistance du roi de France. Charles Quint décide d'aller lui-même réprimer la rébellion. Après une longue hésitation, il admet qu'aucune route n'est plus sûre que celle qui traverse le royaume de son vieil ennemi. Un périple à travers l'Italie, la Suisse et l'Allemagne serait beaucoup trop long ; quant à la route de mer par la baie de Gascogne, elle est dangereuse en hiver. François et sa famille accordent par lettres toutes les garanties exigées.

Le 27 novembre, l'Empereur est accueilli à Bayonne par le dauphin Henri et par Montmorency, qui espère secrètement qu'une réception fastueuse disposera Charles à accorder au roi l'investiture du Milanais. Des entrées somptueuses seront organisées à Bordeaux, Poitiers, Orléans et Paris. L'escorte remonte vers le Val de Loire. Pour éblouir Charles Quint, on le mène au château féodal de Lusignan, d'où sont issus les rois de Chypre et Jérusalem. Le 12 décembre, il rejoint le roi de France à Loches, et lui témoigne sa reconnaissance de n'avoir pas apporté son soutien aux rebelles gantois. François porte beau, alors que son rival paraît amaigri, le menton prognathe, la bouche entrouverte et le cœur assombri par la disparition subite du seul être qu'il ait aimé, sa femme Isabelle de Portugal.

CHAMBORD ET PARIS

L'itinéraire de Charles Quint passe par les hauts lieux artistiques du règne de François Ier : Chenonceau, Amboise, Blois. Chambord, surtout, dont la construction vient d'être achevée, impressionne beaucoup l'Empereur. Il ne peut comparer ces merveilles qu'à l'austère forteresse de l'Alcazar à Tolède. Signe de paix, les deux souverains, descendants des deux plus grands adversaires de la fin du Moyen Âge, Charles le Téméraire et Louis XI, prient côte à côte devant le tombeau de ce dernier à Notre-Dame de Cléry. Fontainebleau accueille l'Empereur pour la Noël 1539, où se succèdent pendant cinq jours parties de chasse et festins.

Les deux frères ennemis font leur entrée à Paris le 1er janvier 1540. François fête encore son beau-frère, lui offre des livres et des œuvres d'art – notamment une statue d'Hercule en argent, grandeur nature, d'après le Rosso. Il l'escorte ensuite jusqu'à Saint-Quentin, où il le quitte le 20 janvier. L'œil rivé sur le Milanais, le roi de France espère avoir fait un pas vers la récupération de ses conquêtes italiennes. Charles, quant à lui, étouffe sans pitié la rébellion gantoise. Une fois les mains libres, il ne tardera pas, dès avril 1540, à décevoir son hôte.

1540 - La fondation de l'ordre jésuite

Jusqu'à l'âge de trente ans, la vie d'Ignace de Loyola, fils de hobereaux basques, ne se distingue en rien de celle d'un jeune noble de son temps. En 1521, il participe ainsi au siège de Pampelune où il est blessé. C'est pendant sa longue convalescence qu'il se convertit vers une vie plus chrétienne. Il devient ermite, fait un pèlerinage à Jérusalem et fréquente les universités d'Alcalá, de Salamanque et de Paris.

En 1534, à Montmartre, il fait vœu de chasteté et de pauvreté avec plusieurs de ses amis. Ordonnés prêtres à Venise, les jeunes gens décident de se mettre à la disposition du pape. En 1539, Ignace rédige la première ébauche d'une constitution de sa Compagnie, dont la création sera acceptée par le pape Paul III Farnèse l'année suivante. Sept mois plus tard, Ignace est élu premier préposé général de l'ordre. Celui-ci rompt à bien des égards avec les ordres existants, et en premier lieu par son organisation centralisée : le « général » de la Compagnie, élu à vie, nomme les provinciaux

qui n'exercent leur fonction que pendant un temps limité ; les membres de la Compagnie lui doivent une obéissance totale, ce qui en fait une véritable milice dans la lutte de l'Église contre la Réforme, notamment par des activités missionnaires et éducatives. Les *Exercices spirituels*, dont Ignace est l'auteur, réglementent la vie spirituelle dans le moindre détail, telles les sept doubles lignes dans lesquelles le pénitent doit marquer ses fautes par des points ou les instructions précises sur la façon de prier. À la mort d'Ignace en 1556, l'ordre compte déjà mille membres et administre quelque 150 fondations.

Le pape Paul III (1469-1549).
Élu en 1534, il encourage la réforme de l'Église et la création de nouveaux ordres. (Vienne, Kunsthistorisches Museum)

Ignace de Loyola (vers 1491-1556).
Il fonde la Compagnie de Jésus et en devient le premier « général ».

C. de Mallery fecit.

Ordonnance de ▲ Villers-Cotterêts (1539).
Grâce à elle, la langue française remplace désormais le latin dans les documents officiels.
(Paris, Archives nationales)

NAISSANCE D'UNE LANGUE, NAISSANCE D'UNE NATION

Le royaume de François Ier s'est, depuis plusieurs décennies, extrait peu à peu de l'état de morcellement politique qui le caractérisait. C'est un pays uni, mais composé de provinces aux traditions et aux parlers encore différents. Le rôle du pouvoir royal est de mettre en œuvre les bases de l'unification culturelle.

LE LATIN, LANGUE DE L'ÉCRIT

Le français du XVIe siècle est une langue dont la prononciation varie beaucoup selon les régions. Le territoire se partage entre la langue d'oïl, au nord du royaume, d'où est issu le français d'aujourd'hui, et la langue d'oc, ou occitan, parlée dans le sud. Chacune se subdivise en une multitude de patois. Près des frontières prévalent des langues à part entière : le breton, l'allemand moyen (*nieder-deutsch*), le basque…
Ces langues sont parlées à tous les échelons de la société et pourvues d'une littérature propre. Le français du roi est celui du centre, que l'on parle de Paris aux portes du Limousin, de la Bourgogne au pays de Loire. La langue de l'écrit reste cependant le latin. Tout candidat à une position de choix dans la société doit en avoir quelques rudiments, car c'est en latin qu'est enseignée la lecture. Les libraires, les imprimeurs, les érudits surtout, veulent le purifier des transformations qu'il a subies au Moyen Âge : ils cherchent à se rapprocher des textes antiques, et en retrouver les sources, à s'éloigner du bas latin qu'utilisent encore les juristes des petites cours locales. Toutefois, l'aristocratie ne s'intéresse pas véritablement à ces querelles d'érudits. Or, c'est elle qui peuple les centres du pouvoir politique. Peu à peu, le français l'emporte sur le latin dans les hautes sphères politiques.

VERS L'UNIFICATION LINGUISTIQUE

François est représentatif de ce mouvement. Baigné dès son plus jeune âge dans la lecture d'auteurs grecs et romains, c'est aussi un homme d'action, qui n'a pas le loisir, quand il exerce son métier de roi, de s'attarder trop longtemps à l'analyse grammaticale. Déjà, il a rendu plus accessibles à l'aristocratie les grands textes savants, en les faisant traduire.
Il est sans doute sensible à la diversité des langues régionales. Né à la frontière des pays d'oc et d'oïl, il a épousé Claude, maîtresse du duché de Bretagne, où, depuis le Moyen Âge, se côtoient le français et le breton. Au cours de ses voyages

▲ *Intérieur d'une imprimerie.*
La diffusion du livre imprimé s'accompagne d'une modernisation de la langue française.
(Dôle, Musée municpal)

Villers-Cotterêts ▲ (Aisne). Cette résidence, appréciée de François Ier, donne son nom à la réforme administrative la plus importante du règne. (Paris, B.N.F.)

La réforme de l'orthographe

La diffusion massive des textes religieux par l'imprimerie entraîne un mouvement de modernisation de la langue et l'émergence du français comme langue officielle. De célèbres éditeurs et imprimeurs parisiens de textes antiques, tels Étienne Dolet et Robert Estienne, imprimeur royal, en font foi. L'orthographe des mots reste pourtant variable. Le redoublement de consonnes (« ung ») est moins fréquent. La graphie se simplifie, car les caractères mobiles, gothiques puis romains, permettent d'éviter les confusions présentes dans les manuscrits : accents, apostrophes (d'origine grecque), cédilles (d'origine espagnole) apparaissent dans les années 1530-1540. C'est Geoffroy Tory qui, dès 1529, dans son ouvrage *Champ fleury*, fixe le principe du tracé des caractères *(ci-dessus, Paris, B.N.F.)*.

à travers le royaume, il a pu constater que cette hétérogénéité pouvait être un facteur d'incompréhension et un frein à la mise en place de l'administration royale, dont il veut encourager l'unification. En 1536, François, par l'édit de Crémieu, a fixé la compétence des tribunaux subalternes, ceux des baillis et sénéchaux, qui présidaient aussi les assemblées d'habitants. La langue française pourrait, elle aussi, devenir un facteur de cohésion. Son écriture se simplifie tout au long du règne, sous l'influence de l'imprimerie, tandis que de nouveaux caractères apparaissent, par exemple le Garamond créé par un imprimeur du roi pour l'humaniste Robert Estienne.

L'ORDONNANCE DE VILLERS-COTTERÊTS

En août 1539, François signe l'un des actes les plus importants de son règne, l'ordonnance de Villers-Cotterêts. Elle compte 192 articles, conçus par le chancelier Poyet.
Quatre idées se dégagent : le français remplace le latin dans tous les documents officiels ; les registres de baptême et de décès doivent être tenus par les curés ; la procédure criminelle, désormais écrite, est plus rapide, mais l'accusé ignore les charges qui pèsent contre lui ; les confréries de métiers sont supprimées, afin d'éviter le retour des mouvements d'ouvriers qui avaient eu lieu peu de temps auparavant. C'est la première disposition qui fut la mieux appliquée.

LE FRANÇAIS S'IMPOSE

Au XVe siècle, le chroniqueur Georges Chastelain déclarait : « Il y a deux sortes de nations, Français et Bourguignons ». Vers 1530, en dépit d'un passé différent, ces deux « nations » reconnaissent la même autorité, sont soumises à la même justice, et parlent la même langue. Celle-ci est bien sûr empreinte d'archaïsmes, sa syntaxe est compliquée et redondante ; mais c'est un progrès énorme sur le latin abâtardi et alambiqué, qui se prêtait à des interprétations juridiques erronées.
Langue de l'administration, de la diplomatie, diffusée par l'imprimerie, le français fait reculer les langues régionales. L'ordonnance de Villers-Cotterêts, comme toutes les lois du règne, est un mélange de mesures hétérogènes et non un texte impérialiste. Les langues régionales, nécessaires à la vie quotidienne, restent cependant vivaces. Mais le pouvoir de l'administration locale, confiée aux baillis et sénéchaux qui tiennent les fameux registres, embryon d'un état civil, commence bel et bien à se renforcer à ce moment grâce à la langue.

1540-1547

La fin du « beau
XVIᵉ siècle »

Le siège de Nice

En août 1543, les forces franco-turques du comte d'Enghien et du capitan-pacha Khair-ed-Dine Barberousse assiègent la ville de Nice, possession du duc de Savoie. Il s'agit d'interrompre les liaisons entre l'Espagne et l'Italie. La ville se rend, mais le château résiste *(ci-dessous)*. François Ier veut conserver la flotte turque à sa disposition et lui permet d'hiverner dans la rade de Toulon : elle y demeure jusqu'en septembre 1544, au grand scandale de Charles Quint, qui dénonce l'installation d'infidèles en terre chrétienne.

Jacques V d'Écosse. ▶ *Gendre et allié de François Ier, il meurt en 1542. Sa fille Marie Stuart lui succède. (Édimbourg, Scottish National Portrait Gallery)*

La bataille de ▶ *Cérisoles (1544). Les Français y remportent une victoire sans lendemain sur les Impériaux. (Tombeau de François Ier, cathédrale de Saint-Denis)*

LES VIEUX ENNEMIS

Malgré le rapprochement d'Aigues-Mortes, François ne peut conserver longtemps des relations pacifiques avec Charles Quint. Tout les sépare : ambitions, politique et tempérament.

LES REVERS D'ALLIANCE

L'entrevue d'Aigues-Mortes n'a été qu'une trêve dans les hostilités. François Ier reste un obstacle pour Charles dans son projet d'unification de la chrétienté. Or le roi songe encore au Milanais, qu'il espère récupérer par la négociation. La détérioration des relations franco-impériales apparait au grand jour lorsque Charles Quint fait connaître, en avril 1540, ses nouvelles intentions : Marie, sa fille, épousera Charles d'Angoulême et recevra en dot les Pays-Bas. Le Milanais n'est donc pas près de tomber dans le domaine royal, d'autant plus que Charles en donne l'investiture à son fils Philippe. Le connétable de Montmorency, tenant de la paix avec l'Empire, est alors au bord de la disgrâce.

Rien ne s'oppose plus à la reprise des hostilités. François échoue à faire alliance contre Charles avec les protestants allemands, que sa politique contre les réformés français a rendus méfiants. Il trouve en revanche un écho favorable auprès des Turcs. Son ambassadeur Antonio Rincon rencontre le sultan Soliman au printemps 1541 et s'assure de son soutien.

LA REPRISE DES HOSTILITÉS

Un coup de théâtre manque de précipiter François dans une guerre contre Charles : le 4 juillet 1541, non loin de Pavie, alors que Rincon se rend à Constantinople pour une seconde mission, il est assassiné par des soldats impériaux, ainsi que Cesare Fregoso, un Gênois passé au service de la France. Bien qu'il cherche un prétexte pour déclarer la guerre à Charles Quint, François Ier ne veut pas prendre le risque de briser la trêve. Il laisse même l'Empereur s'engager dans une campagne contre les Turcs d'Alger, le 28 septembre. L'échec de cette expédition au printemps 1542 décide le roi de France à attaquer en profitant de ce revers.

Le baron de La Garde, successeur de Rincon, étant revenu avec la promesse d'une assistance turque sur terre et sur mer, François déclare la guerre le 12 juillet 1542. Il invoque de multiples affronts de la part de l'Empereur, dont le meurtre de ses ambassadeurs. L'offensive, menée par ses fils – Charles

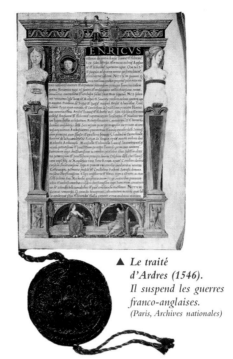

▲ *Le traité
d'Ardres (1546).
Il suspend les guerres
franco-anglaises.*
(Paris, Archives nationales)

L'ENLISEMENT DU CONFLIT

Alors que François repousse les attaques extérieures, une armée française s'engage en Italie. Le 11 avril 1544, les Impé-riaux sont défaits à Cérisoles, dans le Piémont, mais cette victoire, mal exploitée, n'évite pas au roi le retour de ses troupes pour endiguer l'invasion anglaise en juin. Charles Quint occupe le Luxembourg. Pendant l'été de 1544, les opérations de Champagne sont un désastre pour les Français. Et les Impériaux menacent de marcher sur Paris, qui ne doit son salut, au dernier moment, qu'à la désertion des soldats de l'Empereur, mal payés.

Ayant épuisé ses réserves, Charles Quint se résout à négocier, et un traité est signé le 18 septembre à Crépy-en-Laonnois, sur la base d'un retour au *statu quo* de 1538, et un engage-ment des Français contre les Turcs, en échange de l'investi-ture de Milan et du mariage de Charles d'Orléans avec la fille de l'Empereur, Marie. François s'engage en outre à aider Charles Quint dans sa lutte contre les protestants allemands. Mais le Parlement et le dauphin, jaloux de voir le Milanais lui échapper, s'opposent à cet accord. La donne change en 1545 : la mort du duc d'Orléans entraîne l'annulation du traité de Crépy. François temporise avant de s'engager dans de nouveaux projets matrimoniaux. Sa mort, en 1547, interrompt tout.

Entre-temps, le 7 juin 1546, le roi aura conclu sa dernière paix, le traité d'Ardres avec Henri VIII. Le port de Boulogne, occupé par les Anglais, ne reviendra à la France qu'en 1550. Les vieux ennemis, le Français, l'Espagnol et l'Anglais, se sont affrontés jusqu'au bout de leurs forces. Leurs trêves se révéleront peu durables, et la guerre se rallumera dans la décennie suivante.

d'Orléans au Luxembourg, le dauphin Henri à Perpignan – est un échec. À la fin de l'année, le roi décide de porter à nouveau les hostilités en Italie, dans le Piémont.

L'ADVERSAIRE ANGLAIS

Henri VIII ne manque pas de raisons pour entrer en guerre contre la France. Alors en conflit avec le pape Paul III, le roi d'Angleterre ne reçoit qu'un faible soutien de François. Le roi de France ne lui a pas payé sa pension, des anicroches opposent les flottes française et anglaise. Enfin, à la mort de Jacques V Stuart en 1542, les Français ont renouvelé leur alliance avec les Écossais.

Le 11 février 1543, un traité secret entre Charles Quint et Henri VIII prévoit une invasion conjointe de la France. Dès le mois de mai, les hostilités commencent dans le nord du royaume. Durant les années 1543 et 1544, les armées impé-riales et royales s'affrontent au Luxembourg, et sur les fron-tières du Hainaut et de l'Artois. Les opérations militaires sont confuses et la victoire ne revient à personne. En août 1543, les flottes française et turque mettent le siège devant Nice, pos-session du duc de Savoie, sans parvenir à prendre la forteresse.

▲ *Philipp Melanchthon (1497-1560).*
Ami de Luther, il représente le courant modéré de la Réforme.
(Cranach l'Ancien, Dresde, Gemäldegalerie)

◄ *Renée de France (1510-1575).*
La duchesse de Ferrare accueille les calvinistes français persécutés.
(Paris, Bibliothèque protestante)

LA LUTTE CONTRE LES HÉRÉSIES

Des sentiments contradictoires vis-à-vis de la Réforme animent le roi jusqu'à l'affaire des Placards en 1534. Après cette date, sa politique montre clairement son rejet des idées réformatrices. Pourtant le roi ne semble pas insensible à l'influence des frères Du Bellay et des réformateurs modérés, disciples de Luther, tels Philipp Melanchton, Bucer et Sturm. Aurait-il gardé l'espoir d'une coexistence pacifique de deux sensibilités religieuses ? Cette idée se dément au fur et à mesure qu'approche la fin du règne.

LE DURCISSEMENT DE LA POSITION ROYALE

Les protestants français sont encore peu organisés : ils ont formé des communautés à Sainte-Foy en 1541, Aubigny-sur-Nère et Meaux en 1542, Tours et Pau en 1545. Le véritable centre de la Réforme de langue française est la ville de Genève, contre laquelle François Ier envisage un expédition militaire dès 1538. Mais c'est sur les protestants de l'intérieur que va s'abattre la répression royale. Après 1539, le Conseil s'engage, sous l'influence du cardinal de Tournon, sur la voie d'une politique conservatrice et intransigeante. L'édit de Paris, du 24 juin 1539, établit que les tribunaux laïcs sont,

comme les tribunaux ecclésiastiques, habilités à connaître les causes d'hérésie. Pour le roi, les idées réformées progressent trop vite et les tribunaux ecclésiastiques sont trop lents. Dans les faits, des peines plus ou moins lourdes sont infligées aux accusés, selon leur crime et leur statut social : elles vont de l'amende ou de la confession publique à la flagellation et l'exil pour les cas les plus graves, le bûcher étant destiné aux relaps entêtés.

CENSURE ET BÛCHERS

Le dépôt légal a été créé en 1536. L'édit de Fontainebleau, en 1540, va plus loin : tous les livres imprimés doivent être examinés par le Parlement. L'hérésie devient un « crime de leze-majesté divine et humaine, sedition du peuple et perturbation de nostre estat et repos public ».
En 1542, la Sorbonne interdit les livres de Calvin, Luther, Melanchton, Dolet et Marot, et publie un index des ouvrages condamnés. L'*Institution de la religion chrétienne*, de Calvin, est brûlé publiquement en 1544. Le « luthéranisme », terme général utilisé par les autorités, est présenté par la propagande comme un crime d'État. Des prédicateurs parisiens sont arrê-

Jean Calvin (1509-1564)

Fils du procureur de la cathédrale de Noyon, il étudie la théologie et le droit à Bourges et à Orléans. En 1532-1533, Calvin (*ci-contre, Paris, Bibliothèque protestante*) se convertit à la foi réformée. Il quitte Paris en 1533, après le scandale provoqué par son ami Nicolas Cop, recteur de la Sorbonne.

Calvin passe par Angoulême et par Nérac, où il rencontre le réformateur Lefèvre d'Étaples.

En 1534, après l'affaire des Placards, il s'enfuit à Bâle. Il y publie en 1536 l'*Institution de la religion chrétienne* (traduite en français en 1541), synthèse des grands enseignements de la Réforme. Il vit deux ans à Genève (1536-1538), mais il en est chassé avec son ami Guillaume Farel. Son séjour dans le Saint Empire (Strasbourg, Francfort, Ratisbonne) lui fait découvrir le protestantisme de langue allemande. Rappelé à Genève en 1541, il y impose les « ordonnances ecclésiastiques » qui règlent, en collaboration avec le pouvoir civil, la vie spirituelle et morale de la cité. Pasteurs, docteurs, anciens et diacres remplissent des missions précises auprès des fidèles. Le comportement de ces derniers est surveillé par les conseils de la ville et par le Consistoire, qui punissent sévèrement tout écart religieux ou moral.

---

tés pour leurs sermons jugés hérétiques. L'un d'eux, le curé François Landry, de Sainte-Croix-de-la-Cité, est interrogé par le roi : il en perd la parole d'effroi. Dès 1543, des « articles de foi » sont enregistrés au Parlement. Les parlementaires et les docteurs de la Sorbonne doivent prêter serment de fidélité au catholicisme, déclaré « fondement du royaume ». L'édit de Paris de juillet 1543 distingue l'hérésie simple, jugée par les tribunaux ecclésiastiques, et la sédition, du ressort des tribunaux civils, jugée sans possibilité d'appel. Les condamnations au bûcher se multiplient : quarante à La Rochelle et cinq à Meaux en 1546, et encore dix-huit en 1547. De 1538 à 1547, près de mille cinq cents étrangers sont expulsés du royaume, parmi lesquels deux cents viennent des milieux liés à l'imprimerie. Les dénonciations vont bon train.

LES VAUDOIS DANS LE SUD

Un autre aspect de la répression se manifeste dans le Sud du royaume, à l'encontre des hérétiques vaudois. La secte vaudoise s'est développée dans les vallées des Alpes du sud, depuis le XIIe siècle. À la suite du Lyonnais Pierre Valdès, ces « Pauvres du Christ » avaient tout quitté pour vivre dans la pauvreté et prêcher l'égalité des biens, le sacerdoce universel, le rejet de l'intercession des saints et la communion du pain et du vin. Leur communauté discrète sauvegarde les apparences du catholicisme : ils se rendent à l'église, se confessent et payent la dîme. Malgré la condamnation de leurs thèses en 1215 et des persécutions intermittentes, ils ont donc survécu.

LE MASSACRE DE 1545

Certaines communautés du Dauphiné sont gagnées dans les années 1530 par les prédications du calviniste Guillaume Farel, qui s'exprime en occitan. Poursuivis par le Parlement d'Aix en mai 1540, les Vaudois ne doivent leur salut qu'à une intervention de François Ier qui, sur les conseils de Guillaume Du Bellay, fait suspendre en 1541 l'exil des femmes et des enfants et la destruction des villages. En retour le roi exige que les réformés renient leur foi.

Il n'en est rien et le conflit s'enlise. Le protecteur des Vaudois, Guillaume Du Bellay, meurt en 1543, mais ils parviennent à convaincre le roi que les autorités locales en veulent plus à leurs terres qu'à leur foi. Les communautés vaudoises sont en effet voisines des terres du catholique Jean Maynier, baron d'Oppède, premier président du parlement de Provence, dont les gens d'armes s'engagent dans la répression dès 1544.

▲ *Étienne Dolet.*
L'imprimeur parisien
est brûlé le 3 août
1546, place Maubert.
(Paris, Bibliothèque
protestante)

Le château d'Oppède.
Son seigneur, Jean
Maynier, s'attaque aux
hérétiques vaudois, dont
il convoite les terres. ▼

Le massacre de ▶
Mérindol (1545).
Plusieurs milliers de
Vaudois sont abattus
sans procès, sans
intervention du roi.
(Gravure XIXᵉ siècle)

Au printemps 1545, des bandes armées de mercenaires, de retour d'Italie, arrivent dans la région. C'est l'occasion de les détourner contre les Vaudois de Cabrières et Mérindol, acquis à la Réforme depuis 1532. Le parlement d'Aix est habilité à poursuivre les hérétiques et à recourir à la torture si nécessaire. François autorise la repression armée : entre le 13 et le 23 avril 1545, deux mille sept cents personnes sont massacrées sans autre forme de procès ; parmi elles, beaucoup ne s'avouent même pas vaudoises. Des habitants sont brûlés dans les églises et les paysans pillent les biens vaudois, suscitant l'émotion de toute la chrétienté. Pourtant, le parlement de Paris laisse traîner l'affaire et conclut en 1549 à un non-lieu.

ÉTIENNE DOLET ET LE GROUPE DE MEAUX

La répression atteint son paroxysme avec le supplice de l'imprimeur Étienne Dolet en 1546. Proche de Lefèvre d'Étaples, de Bucer et de Farel, Dolet a fui Paris pour Lyon à la suite de l'affaire des Placards. Il y a rouvert son imprimerie et publié des ouvrages d'érudition admirés de Marguerite de Navarre. Le roi le soutient en 1539, alors qu'il est poursuivi pour avoir suivi le grand « Tric », grande grève des compagnons impri-

meurs, qui se solde par une répression sévère, des peines de galères et de bannissement. Malgré une première condamnation de ses ouvrages au bûcher en 1542, Dolet poursuit son activité éditoriale. En 1546, la fouille de paquets de livres, destinés à être vendus à Paris, révèle des œuvres interdites et d'autres rescapées de l'autodafé de 1542. Tenu pour relaps, Dolet est arrêté, jugé par le parlement de Paris et brûlé place Maubert, le 3 août 1546.

Quant aux derniers fidèles du groupe de Meaux, ils ne survivent pas au massacre des Vaudois : une soixantaine de personnes sont arrêtées lors de la célébration de la Cène, le 8 septembre 1546. Le 4 octobre, quatorze sont condamnés à la torture et au bûcher, les autres, emprisonnés à vie ou bannis.

LE CONCILE DE TRENTE

Le trouble et la division de la chrétienté poussent le pape Paul III à convoquer un concile de réforme de l'Église. Mais la première session, ouverte en 1545, doit être reportée à cause de la peste.

En combattant sans merci l'hérésie, le roi de France a fait un choix. Gestionnaire des institutions de l'Église, il a bénéficié de ses richesses depuis le concordat de Bologne. Son attitude lui est dictée par des raisons personnelles (son attachement à la foi catholique), par des motifs institutionnels (son rôle de défenseur de la foi), et par choix politique : il veut préserver de bonnes relations avec la papauté et ne pas laisser à Charles Quint le titre de champion de la chrétienté.

Le concile ne reprend qu'en 1548, après la mort du roi. Mais la Sorbonne, le Parlement, la France continueront pendant longtemps à être agités de tensions contradictoires, et Paris sera le théâtre de bien d'autres événements sanglants.

1543 - La révolution de Copernic

Fils d'un riche marchand, Nicolas Copernic naît en 1473 dans la ville de Toruń au bord de la Vistule. À la mort de son père, en 1483, son éducation et sa carrière sont prises en charge par son oncle Lucas Watzenrode, futur evêque de Warmie. C'est ainsi que le jeune Nicolas peut entrer à l'université de Cracovie, avant d'être nommé chanoine de Frombork. Puis il part en Italie où il étudie le droit canonique à l'université de Bologne. C'est dans cette ville qu'il fait ses premières observations astronomiques. Après un voyage à Rome, il sollicite une nouvelle bourse, qui lui permet d'étudier la médecine à Padoue et d'obtenir un doctorat de droit canonique à Ferrare. Par la suite, il occupe différentes fonctions dans son diocèse de Warmie. Dès les années 1520, il travaille à ce qui sera son œuvre majeure : *De Revolutionibus orbium cœlestium*, publiée l'année de sa mort, en 1543. Comme plusieurs de ses contemporains, Copernic met en doute la pertinence du système astronomique de Ptolémée, dominant à son époque. L'astronome grec du IIe siècle avait situé la Terre au centre de l'Univers, ce qui nécessitait des ajustements nombreux et complexes pour expliquer les mouvements de la Lune, du Soleil et des planètes. Copernic y remédie en postulant un double mouvement circulaire des planètes autour d'elles-mêmes et autour du Soleil, qui devient ainsi le centre du monde, les étoiles fixes étant considérées comme immobiles. Le système héliocentrique ne s'avère guère au début plus exact que le précédent. Connu des seuls milieux savants, il ne suscitera l'opposition de l'Église qu'au siècle suivant, avec Galilée, quand il apparaîtra que la vision d'un univers immuable s'est effondrée et que la compréhension de la nature relève des rapports mathématiques, non des vérités de la foi.

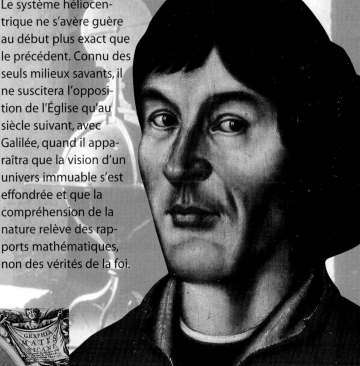

Nicolas Copernic (1473-1543).
En plaçant le Soleil au centre de l'Univers, l'astronome polonais donne naissance à une nouvelle conception du monde.
(Musée de Toruń)

Le système de Copernic.
Pour simplifier les calculs astronomiques, Copernic postule un mouvement circulaire des planètes autour du Soleil.
(Gravure de Schenk, XVIIIe siècle)

Le Paris de François Ier

En 1528, François Ier fixe sa résidence officielle à Paris et entame un vaste programme d'embellissement. Des hôtels particuliers, des églises et un hôtel de ville sont construits, enfin le Louvre est rebâti après 1546. Paris entre dans la Renaissance.

L'HÔTEL DE LIGNERIS, DIT CARNAVALET.
En 1545, le parlementaire Jacques de Ligneris fait dessiner les plans de son hôtel parisien par Pierre Lescot, ensuite chargé de la reconstruction du Louvre.
(Paris, musée Carnavalet)

LA PLACE DE GRÈVE.
Point de déchargement pour les bateaux qui ravitaillent Paris et lieu d'exécution, la place abrite aussi la maison des Piliers, siège de la municipalité. Le roi encourage la construction d'un nouvel Hôtel de Ville, sur les plans de Dominique de Cortone. Les travaux, commencés en 1533, sont achevés en 1628.
(Lithographie XIXe siècle)

L'APOGÉE DU VITRAIL.
La verrière du Jugement
de Salomon (1531) est
un exemple spectaculaire
de l'art du vitrail Renaissance : coloris riches
et étendus, mise en
scène élaborée et
unifiée, directement
inspirée de la peinture.
(Paris, église Saint-
Gervais-Saint-Protais)

CARYATIDE
DU LOUVRE,
PAR JEAN GOUJON.
Le chantier de l'aile
neuve du Louvre,
engagé dès 1546 par
Pierre Lescot, permet
aux artistes d'expéri-
menter une nouvelle
synthèse des influences
antiques. (Paris, musée
du Louvre)

LE JUBÉ DE SAINT-
ÉTIENNE-DU-MONT.
De décor antiquisant, il
s'inscrit dans les grands
chantiers que favorise
François Ier : Saint-Germain-
l'Auxerrois, et surtout
Saint-Eustache après 1532.

*Gisant de Philippe ▶
Chabot de Brion.
Accusé de malversations,
l'amiral de France est
emprisonné en 1541,
mais relâché l'année
suivante.
(Paris, musée du Louvre)*

*Charles de France, ▶
duc d'Orléans.
Fils préféré du roi,
il exerce une grande
influence jusqu'à
sa mort en 1545.
(Bayonne, musée Bonnat)*

LE CRÉPUSCULE DU RÈGNE

Les coteries ont toujours existé à la Cour, mais elles n'ont jamais entamé directement l'autorité personnelle de François Ier. Dans les dernières années du règne, elles deviennent cependants de véritables factions. Les grands procès, intentés aux titulaires de hautes charges, révèlent les tensions qui dressent les uns contre les autres ministres et courtisans. La grande noblesse, profitant du déclin de la santé royale, exploite les tensions entre les fils du souverain et choisit son camp en prévision du règne à venir.

L'AFFAIRE CHABOT

Les années 1536-1541 sont celles du connétable Anne de Montmorency, qui dispose de soutiens puissants : le dauphin Henri et sa maîtresse, Diane de Poitiers, grande-sénéchale de Normandie, le cardinal de Tournon, le chancelier Guillaume Poyet et le clan lorrain des Guises – Claude, duc de Guise, son frère Jean, cardinal de Lorraine, ses fils François, comte d'Aumale, et Charles, archevêque de Reims. L'amiral de France, Philippe Chabot, est depuis 1526 le rival de Montmorency. Dès 1538, il est évincé des entrevues de Nice et d'Aigues-Mortes, tandis que le connétable laisse cou-

rir des bruits sur sa conduite. François Ier hésite à poursuivre en justice un camarade de jeunesse, mais le scandale éclate en février 1540 : Chabot a laissé ses subordonnés commettre des malversations et aurait abusé de sa position d'amiral, trafiquant des lettres de marque et touchant des commissions sur le commerce avec l'Afrique. L'armateur Jean Ango aurait acheté, au prix d'un diamant de 3 000 écus, l'autorisation de mener la guerre de course contre les navires portugais.
Le chancelier Poyet traduit l'amiral devant une commission spéciale. Le 8 février 1541, c'est la destitution, la confiscation des biens et l'emprisonnement au donjon de Vincennes.

LA DISGRÂCE DE MONTMORENCY

Au même moment, l'étoile de Montmorency décline. Il est desservi par la maîtresse du roi, la duchesse d'Étampes. Quant à la sœur du souverain, Marguerite, elle lui reproche d'avoir laissé pourchasser les « évangéliques » du cercle de Meaux et d'avoir mollement défendu les intérêts de son mari, Henri d'Albret, en Navarre. Mme d'Étampes attaque le connétable sur l'affaire du Milanais : depuis son arrivée au pouvoir, Montmorency assure à François qu'il pourra récupérer le

◄ *François de Tournon.*
Il occupe après 1542
le premier rang pour
les affaires financières
et diplomatiques.
(Chantilly, musée Condé)

Claude d'Annebault. ▶
Amiral de France
en 1544, il garde
la confiance de
François Ier malgré
ses échecs militaires.
(Chantilly, musée Condé)

duché de Milan par la voie diplomatique. Or, en octobre 1541, Charles Quint donne le duché à son fils Philippe d'Espagne. Devant l'échec, Montmorency doit s'effacer. Bien qu'il soit écarté des affaires, ses fonctions de gouverneur du Languedoc ne lui sont pas retirées. Pour ménager celui qui fut son ami, le roi a recours à un prétexte élégant : en 1542, il suspend les pouvoirs de tous les gouverneurs, puis les confirme dans leurs charges quelques jours plus tard, à l'exception du connétable. Montmorency ne reparaît plus à la Cour jusqu'à la mort de François.

LES DERNIERS FAVORIS

La disgrâce du connétable rend à la duchesse d'Étampes toute son influence. L'amiral Chabot est disculpé des accusations de lèse-majesté qui pesaient sur lui. Rétabli dans ses charges, il succède à Montmorency en charge des Affaires étrangères. C'est au tour du chancelier Poyet, protégé de Montmorency, de perdre la faveur du roi. Le 2 août 1542, il est arrêté et embastillé sous un prétexte étrange : la duchesse d'Étampes ayant demandé à François le transfert d'un procès du parlement de Paris vers celui de Toulouse, le chancelier aurait refusé de sceller l'ordre royal. Dans sa prison, Poyet ignore jusqu'à son chef d'inculpation. Les charges ne sont communiquées à l'accusé qu'à l'ouverture de son procès. Ironie du sort, c'est Poyet lui-même qui avait introduit cette mesure dans l'ordonnance de Villers-Cotterêts (1539). Le prisonnier écrit à Chabot, au cardinal de Tournon, essaie d'attendrir la duchesse elle-même. En vain.

Chabot ne savoure pas longtemps sa vengeance. Le 10 octobre, il est pris d'un grave malaise en présence du roi. Il meurt le 1er juin 1543. L'entourage de François est plus que

jamais divisé : d'un côté, Marguerite d'Angoulême, le duc d'Orléans et la duchesse d'Étampes ; de l'autre, le dauphin, la reine Éléonore de Habsbourg et le groupe des cardinaux. Les étoiles montantes du Conseil du roi sont le cardinal François de Tournon et l'amiral Claude d'Annebault. Tournon est un acteur majeur de la diplomatie royale depuis 1526. Il en prend la direction après 1543, avec la charge d'ouvrir le courrier du roi en son absence. Annebault bénéficie du soutien de Mme d'Étampes. Il succède à Chabot comme amiral de France en 1544. Il manque une tentative de débarquement en Angleterre l'année suivante, mais conserve la faveur du souverain. Il est l'un des principaux agents de la paix d'Ardres (1546) entre François Ier et Henri VIII.

LE CALVAIRE DE POYET

Au mois d'avril 1544 débute le procès du chancelier déchu, traduit devant une commission extraordinaire de trente-quatre membres. Poyet doit assurer sa défense dans la précipitation. On l'accuse de détournement d'un cadeau provenant de l'héritage de Louise de Savoie et d'escroquerie aux

> ### Tournon et Annebault
> Les deux grands conseillers des années 1540 ont déjà une longue expérience au service de François Ier.
> **François de Tournon (1489-1562)** est évêque d'Embrun, puis archevêque de Bourges (1526) et cardinal (1530). Son rôle est crucial dans la libération du roi prisonnier (1526) et de ses fils otages (1530). Il affronte l'invasion de 1536 comme lieutenant général dans le Sud-Est et négocie la trêve de Nice en 1538.
> **Claude d'Annebault (mort en 1552)** est un bon homme de guerre. Vétéran de la bataille de Pavie, il est maréchal de France en 1538.

dépens de la comtesse de Brienne. Il aurait également évoqué devant le Parlement des causes judiciaires déjà présentées devant le Conseil, voire prononcé des jugements personnels au nom de Parlement. S'y ajoutent des falsifications diverses, des détournements de fonds, la vente illégale d'offices... Les charges pleuvent. On lui reproche même d'avoir truqué le procès de Chabot.

UN PROCÈS INIQUE

Le comble est que son propre procès est probablement une manipulation : les accusations ne sont pas toutes étayées de preuves et les témoins se contredisent. L'ambiance est violente : le roi s'acharne personnellement sur son ministre, qui se défend comme un lion. Finalement, le 23 avril 1545, le Parlement prononce une condamnation modérée : 5 ans d'emprisonnement et 100 000 livres d'amende. Deux de ses complices sont punis d'une amende dérisoire de 200 livres. François se vexe de la clémence des juges, qui n'ont pas accordé une importance primordiale à ses déclarations. Mais la dignité de l'ancien chancelier le touche : malgré sa ruine, Poyet s'acquitte scrupuleusement de son amende en vendant

des terres. Il verse 117 000 livres, plus les frais de justice. Radouci, le roi le fait libérer le 11 juillet 1545. Poyet mourra en 1548, alors qu'était engagée la révision de son procès.

LA COUR DE NÉRAC

Lassée des intrigues de la Cour, la sœur aînée du roi se retire des affaires. Après 1542, elle réside dans les terres de son époux Henri d'Albret. Marguerite d'Angoulême vit dans un faste sans ostentation. Une importante pension royale, les revenus du duché d'Alençon et de la province de Guyenne, dont Henri d'Albret est gouverneur, les impôts de la Navarre lui donnent les moyens d'entretenir une importante maison. Elle aménage Pau au goût de la Renaissance et fait bâtir à Nérac un château neuf, tout en galeries et en ouvertures. Marguerite consacre une partie de sa fortune aux œuvres de charité. Elle collectionne les beaux objets, brode, tapisse et contribue en personne à la décoration de ses châteaux.
Écrivain de talent, Marguerite de Navarre fait de sa cour la plus lettrée du royaume, visitée par des poètes réputés comme Mellin de Saint-Gelais et Bonaventure Des Périers. La reine de Navarre s'était passionnée pour le *Décaméron*, recueil de nouvelles de l'Italien Boccace. Elle en avait commandé la traduction à un officier de finances fort érudit, Antoine Le Maçon. Dès avant la parution du livre en 1545, elle-même s'est attelée à l'écriture d'un pendant français du *Décaméron*, l'*Heptaméron*, qui paraîtra en 1559.
À Nérac règne une climat de tolérance. Les réformateurs de Meaux s'y sont réfugiés dès les années 1530, à la suite de Roussel et de Lefèvre d'Étaples, qui y termine sa vie en 1536. Clément Marot y passe en 1535, avant de rejoindre la cour de Ferrare, où la duchesse Renée de France, fille de Louis XII,

professe ouvertement sa foi protestante. Mais les interroga-tions spirituelles de Marguerite, ses recherches mystiques, supportent mal l'enfermement dans un dogme. Elle n'adhé-rera jamais à un mouvement constitué de la Réforme, qu'il soit luthérien ou calviniste. Au contraire ne la voit-on pas protéger les « libertins » Quintin Thierry et Antoine Poc-quet, également pourchassés par les autorités royales et par Calvin ? La cour très libre, un peu vieillissante mais toujours joyeuse, de Marguerite contraste décidément avec la cour déclinante de son frère.

LES DERNIÈRES ANNÉES

Les deux dernières années du règne sont un calvaire pour François. Les procès, les rivalités internes qu'il domine mal, un entourage de moindre qualité, des abcès mal soignés, pro-bablement la syphilis, l'affaiblissent. Il tente de porter beau, monte à cheval dès qu'il peut quitter sa litière. Malgré l'ap-parence d'une « constitution robuste et gaillarde », qui étonne l'ambassadeur vénitien en 1546, François n'est pas, aux dires de ses médecins, un malade raisonnable.

La mort frappe une dernière fois son entourage : le 9 sep-tembre 1545, son fils Charles d'Orléans s'éteint brusque-ment. Le roi est durement touché, d'autant plus que ses rela-tions avec le dauphin Henri sont orageuses. Ambitieux, le dauphin n'hésite pas à exprimer sa désapprobation de la conduite des affaires et de la disgrâce de son ami Montmorency. En 1545, il refuse de présider le Conseil, « considérant en ceci que, comme tout va mal aujourd'hui, que l'on jetterait après ceci toute la faute sur lui ». Le passage au règne suivant s'annonce lourd de périls, et non seulement à la Cour et au Conseil : la prospérité du royaume s'essouffle et le peuple appauvri ne supporte plus les dépenses de la guerre perpétuelle. De 1542 à 1547, la révolte gronde.

LES RÉVOLTES

Dès 1542, un édit royal réformant l'impôt sur le sel – la gabelle – sou-lève les régions côtières du Sud-Ouest. Marennes, Oléron, Saint-Jean d'Angely, Libourne chassent les commissaires royaux. La politique autoritaire de son gouverneur, qui attente aux libertés municipales, sou-lève La Rochelle en août 1542. Le roi fait emprisonner les délégués de la ville à Cognac, dépêche des troupes et se rend sur place le 31 décembre 1542. Il pardonne, après avoir obtenu des marais salants de la Saintonge et de la Guyenne le versement de 15 000 muids de sel au grenier de Rouen. L'édit est abandonné mais d'autres réformes analogues suivent. Les villes renâclent contre les contributions extraordinaires et la dureté du fisc nourrit la révolte pendant toute la décennie. En 1547, après la mort de son père, Henri II devra affronter la sédition en Saintonge. L'année suivante, le Sud-Ouest entier s'embrasera et l'armée de Montmorency ira en force châtier les Bordelais, coupables de l'assassinat de leur gouverneur.

Chambord : le legs de François

À la différence d'Amboise et de Blois, le château de Chambord ne doit rien aux règnes précédents. Commencés en 1519 sur les plans de l'Italien Dominique de Cortone, les travaux se prolongent jusqu'en 1540. La fantastique demeure s'attache entièrement à la personnalité de François, dont elle est le chef-d'œuvre et le legs.

LE SYMBOLE DE FRANÇOIS. Véritable manifeste à la gloire du roi, Chambord est rempli des salamandres et des initiales de François Ier.

LA FAÇADE. Le donjon carré et massif est flanqué de quatre tours larges et rondes, reliées par des bâtiments plus bas. Le plan est pour l'essentiel celui d'un château fort de la tradition française, mais son harmonie et sa symétrie révèlent l'origine italienne de son architecte.

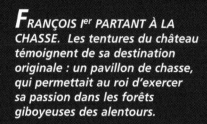

FRANÇOIS Ier PARTANT À LA CHASSE. *Les tentures du château témoignent de sa destination originale : un pavillon de chasse, qui permettait au roi d'exercer sa passion dans les forêts giboyeuses des alentours.*

L'ESCALIER À DOUBLE RÉVOLUTION. *Léonard a probablement fourni l'idée de l'escalier, situé au centre du donjon, bien qu'il fût décédé au début de la construction. La double circulation, qui avait déjà été expérimentée au xve siècle, permet à deux personnes de descendre et de monter l'escalier sans jamais se croiser.*

L'INTÉRIEUR DE LA TOUR LANTERNE. *L'escalier aboutit à un plafond à caissons, nouveauté probablement empruntée à la basilique Saint-Pierre de Rome. Le jeu subtil sur l'éclairage contribue à l'effet merveilleux. Chambord est pour le roi moins une résidence – il y séjourne moins de huit semaines – qu'une féerie architecturale, au service de son prestige et de ses rêves.*

LA FIN DU ROI

Henri VIII, le joyeux compagnon du Camp du Drap d'or, fut le premier à quitter le monde des vivants, le 27 janvier 1547. Le lendemain, la nouvelle parvint à la cour de France et on raconte que la duchesse d'Étampes courut dès l'aube chez la reine pour la lui annoncer.

LA MORT DU ROI

Le roi n'était pas dans une forme éblouissante. À la mi-février, c'est en litière qu'il fit le voyage de Saint-Germain-en-Laye à Paris par Rambouillet. Souffrant d'abcès périnéaux chroniques et probablement de la syphilis, le roi se déclarait lui-même « mort pour les femmes ». Pourtant il continuait à chasser à courre et à danser. Mais cette fois-ci, il se préparait à mourir. Le 20 mars, il se confessa, et le 29, reçut le dauphin et demanda l'extrême-onction. Il s'éteignit le 31 mars, en début d'après-midi.

Seuls deux enfants survivaient de sa nombreuse descendance : Henri, âgé de 28 ans, dont le fils François était né en 1544, et Marguerite, duchesse de Savoie et de Berry. Deux deuils importants avaient assombri la deuxième partie de son règne : la mort de François, le premier dauphin, duc de Bretagne, à 18 ans en 1536 et celle de Charles, à 23 ans en 1545. Ses trois autres filles étaient mortes : Louise, l'aînée, à l'âge de deux ans, Charlotte, en 1524, et Madeleine, en 1537.

François confia à Henri les affaires du royaume et lui demanda de trouver pour sa sœur Marguerite un époux digne d'elle. Il mourut chrétiennement, assistant quotidiennement à la messe et se repentant des fautes commises en tant qu'homme, mais pas en tant que roi. Peut-être avait-il confié à Henri son remords d'avoir privé Charles III de Savoie de ses terres et d'avoir, pour mener des guerres perpétuelles, saigné à blanc son royaume.

LA CÉRÉMONIE DES FUNÉRAILLES

Ni la reine Éléonore, ni Marguerite de Navarre ne l'assistèrent dans ses derniers moments. On aurait caché sa maladie à la première, et la seconde, qui se trouvait alors en Navarre, n'apprit la nouvelle que beaucoup plus tard. La duchesse d'Étampes fut éloignée par le roi lui-même avant sa mort. Henri organisa les cérémonies compliquées que requièrent les funérailles d'un roi de France. Selon la coutume, il fit élaborer une effigie en bois et en osier de son père, représentation

Henri II présidant le chapitre de l'ordre de Saint-Michel.
Le second fils de François règne de 1547 à 1559.
(Saint-Germain-en-Laye, Bibliothèque municipale) ▶

▲ *La reine Éléonore en deuil (1548).*
Elle n'assiste ni à la mort ni aux funérailles de son époux.
(François Clouet, Chantilly, musée Condé)

symbolique de l'image royale qui ne peut mourir. Les visiteurs continuèrent à venir voir le souverain, à qui étaient servis des repas, comme s'il eût été vivant.

La messe de funérailles eut lieu en grande pompe à la basilique de Saint-Denis, le 22 mai. Le cortège qui l'accompagnait était impressionnant : les grands officiers, les gentilshommes du roi, l'amiral d'Annebault portant la bannière de France. Cinq cents pauvres, les ordres mendiants, les clercs de l'Université. Le cortège se dispersa à l'abbaye de Saint-Denis où devait être enterré le roi.

« Le roy est mort, vive le roy » proclama trois fois l'amiral d'Annebault. Le bâton de la Maison du roi fut brisé pour symboliser le départ de François et l'arrivée d'Henri. Le tombeau de marbre blanc qu'avait conçu pour François Philibert Delorme, rassemblait la reine Claude, la princesse Charlotte et les deux princes royaux, François et Charles.

BILAN DU RÈGNE

« **L**e grand roy Françoys » fut celui de la fin. Il avait succédé dans les esprits au « noble roy Françoys » de Marignan, lequel avait avantageusement remplacé « Monsieur François qui est tout François » et surtout le « gros garçon qui gastera tout », ainsi que le voyait Louis XII. François avait globalement tenu ses promesses : conserver l'essentiel du domaine royal, les villes de la Somme, la Bourgogne, et une partie de la Navarre où il avait maintenu les Albret. Mais la Savoie était toujours occupée, et le rêve italien s'était heurté en Charles Quint à un adversaire redoutable, alors qu'Henri VIII savait jouer de sa position d'arbitre.

Sur le plan intérieur, François a su maintenir son autorité, au prix de conflits avec les parlements qui lui rappellent ses limites, la haute noblesse qu'il associe à sa cour, les gens de robe qu'il châtie ou récompense, le peuple qui se rebelle contre la lourde pression fiscale. Mais la question du protestantisme reste entière : en 1547, la France entre dans la période des « guerres de religion ».

Reste le bilan culturel : les chantiers royaux, l'enrichissement des collections royales, la naissance d'une compagnie de musiciens du roi, les poètes de la cour. Imprimeurs et « lecteurs royaux », bibliothèque royale et dépôt légal complètent le tableau d'un roi cultivé par goût et par intelligence politique. Grâce à l'Italie et à la chevalerie bourguignonne, la France passe du Moyen Âge à l'époque « moderne ».

LA MAISON DE VALOIS
LA GRANDE FAMILLE

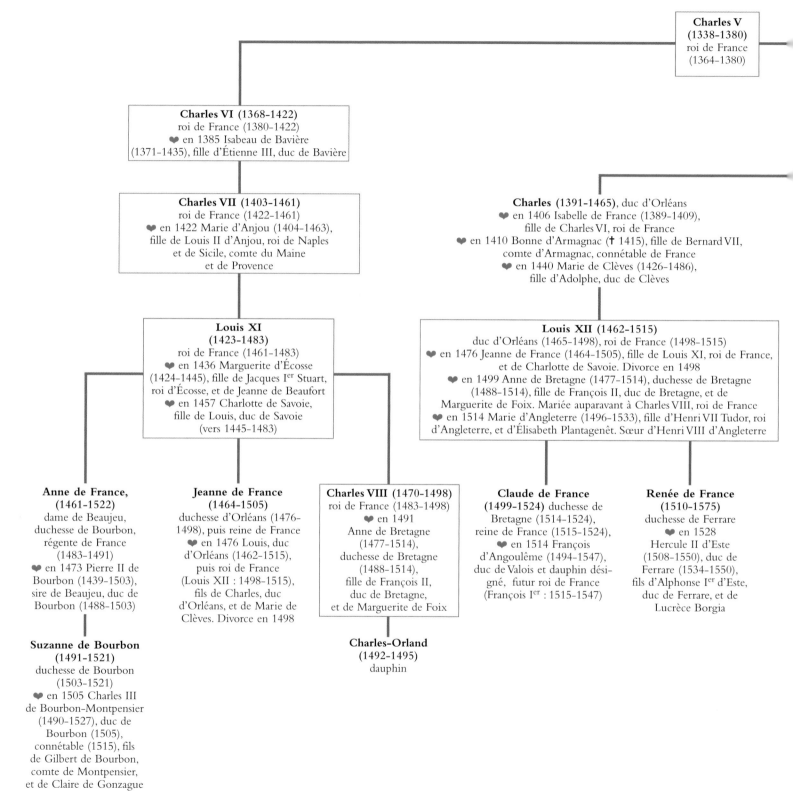

Charles V
(1338-1380)
roi de France
(1364-1380)

Charles VI (1368-1422)
roi de France (1380-1422)
♥ en 1385 Isabeau de Bavière
(1371-1435), fille d'Étienne III, duc de Bavière

Charles VII (1403-1461)
roi de France (1422-1461)
♥ en 1422 Marie d'Anjou (1404-1463),
fille de Louis II d'Anjou, roi de Naples
et de Sicile, comte du Maine
et de Provence

Charles (1391-1465), duc d'Orléans
♥ en 1406 Isabelle de France (1389-1409),
fille de Charles VI, roi de France
♥ en 1410 Bonne d'Armagnac († 1415), fille de Bernard VII,
comte d'Armagnac, connétable de France
♥ en 1440 Marie de Clèves (1426-1486),
fille d'Adolphe, duc de Clèves

Louis XI
(1423-1483)
roi de France (1461-1483)
♥ en 1436 Marguerite d'Écosse
(1424-1445), fille de Jacques Ier Stuart,
roi d'Écosse, et de Jeanne de Beaufort
♥ en 1457 Charlotte de Savoie,
fille de Louis, duc de Savoie
(vers 1445-1483)

Louis XII (1462-1515)
duc d'Orléans (1465-1498), roi de France (1498-1515)
♥ en 1476 Jeanne de France (1464-1505), fille de Louis XI, roi de France,
et de Charlotte de Savoie. Divorce en 1498
♥ en 1499 Anne de Bretagne (1477-1514), duchesse de Bretagne
(1488-1514), fille de François II, duc de Bretagne, et de
Marguerite de Foix. Mariée auparavant à Charles VIII, roi de France
♥ en 1514 Marie d'Angleterre (1496-1533), fille d'Henri VII Tudor, roi
d'Angleterre, et d'Élisabeth Plantagenêt. Sœur d'Henri VIII d'Angleterre

Anne de France,
(1461-1522)
dame de Beaujeu,
duchesse de Bourbon,
régente de France
(1483-1491)
♥ en 1473 Pierre II de
Bourbon (1439-1503),
sire de Beaujeu, duc de
Bourbon (1488-1503)

Jeanne de France
(1464-1505)
duchesse d'Orléans (1476-
1498), puis reine de France
♥ en 1476 Louis, duc
d'Orléans (1462-1515),
puis roi de France
(Louis XII : 1498-1515),
fils de Charles, duc
d'Orléans, et de Marie de
Clèves. Divorce en 1498

Charles VIII (1470-1498)
roi de France (1483-1498)
♥ en 1491
Anne de Bretagne
(1477-1514),
duchesse de Bretagne
(1488-1514),
fille de François II,
duc de Bretagne,
et de Marguerite de Foix

Claude de France
(1499-1524) duchesse de
Bretagne (1514-1524),
reine de France (1515-1524),
♥ en 1514 François
d'Angoulême (1494-1547),
duc de Valois et dauphin désigné, futur roi de France
(François Ier : 1515-1547)

Renée de France
(1510-1575)
duchesse de Ferrare
♥ en 1528
Hercule II d'Este
(1508-1550), duc de
Ferrare (1534-1550),
fils d'Alphonse Ier d'Este,
duc de Ferrare, et de
Lucrèce Borgia

Suzanne de Bourbon
(1491-1521)
duchesse de Bourbon
(1503-1521)
♥ en 1505 Charles III
de Bourbon-Montpensier
(1490-1527), duc de
Bourbon (1505),
connétable (1515), fils
de Gilbert de Bourbon,
comte de Montpensier,
et de Claire de Gonzague

Charles-Orland
(1492-1495)
dauphin

DE FRANÇOIS Iᵉʳ (généalogie simplifiée)

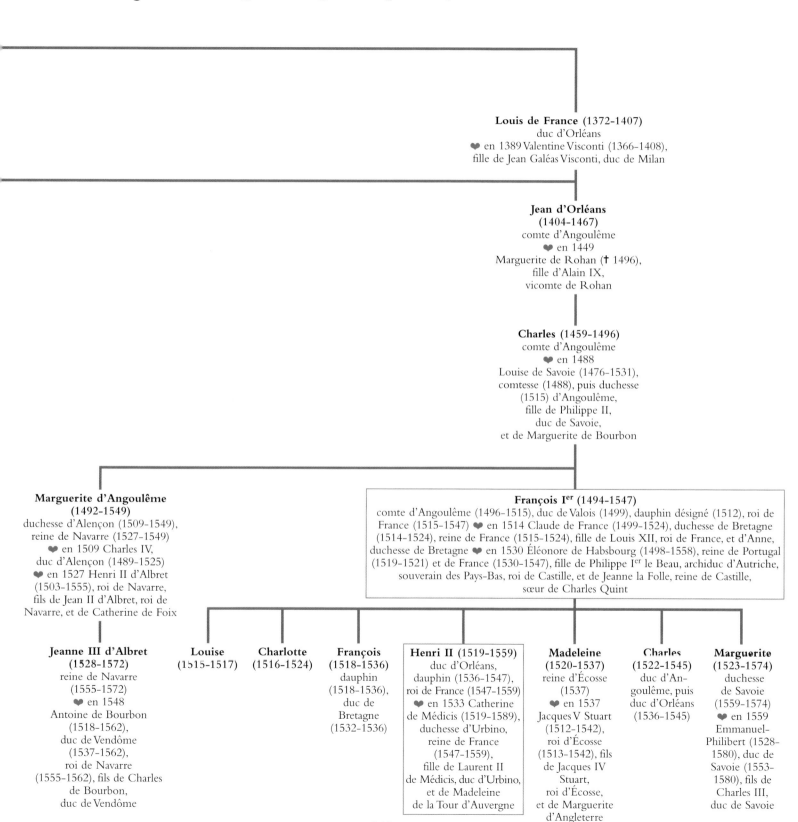

Louis de France (1372-1407)
duc d'Orléans
en 1389 Valentine Visconti (1366–1408),
fille de Jean Galéas Visconti, duc de Milan

**Jean d'Orléans
(1404-1467)**
comte d'Angoulême
en 1449
Marguerite de Rohan († 1496),
fille d'Alain IX,
vicomte de Rohan

Charles (1459-1496)
comte d'Angoulême
en 1488
Louise de Savoie (1476-1531),
comtesse (1488), puis duchesse
(1515) d'Angoulême,
fille de Philippe II,
duc de Savoie,
et de Marguerite de Bourbon

**Marguerite d'Angoulême
(1492-1549)**
duchesse d'Alençon (1509-1549),
reine de Navarre (1527-1549)
en 1509 Charles IV,
duc d'Alençon (1489-1525)
en 1527 Henri II d'Albret
(1503-1555), roi de Navarre,
fils de Jean II d'Albret, roi de
Navarre, et de Catherine de Foix

François Iᵉʳ (1494-1547)
comte d'Angoulême (1496-1515), duc de Valois (1499), dauphin désigné (1512), roi de
France (1515-1547) en 1514 Claude de France (1499-1524), duchesse de Bretagne
(1514-1524), reine de France (1515-1524), fille de Louis XII, roi de France, et d'Anne,
duchesse de Bretagne en 1530 Éléonore de Habsbourg (1498-1558), reine de Portugal
(1519-1521) et de France (1530-1547), fille de Philippe Iᵉʳ le Beau, archiduc d'Autriche,
souverain des Pays-Bas, roi de Castille, et de Jeanne la Folle, reine de Castille,
sœur de Charles Quint

**Jeanne III d'Albret
(1528-1572)**
reine de Navarre
(1555-1572)
en 1548
Antoine de Bourbon
(1518-1562),
duc de Vendôme
(1537-1562),
roi de Navarre
(1555-1562), fils de Charles
de Bourbon,
duc de Vendôme

**Louise
(1515-1517)**

**Charlotte
(1516-1524)**

**François
(1518-1536)**
dauphin
(1518-1536),
duc de
Bretagne
(1532-1536)

Henri II (1519-1559)
duc d'Orléans,
dauphin (1536-1547),
roi de France (1547-1559)
en 1533 Catherine
de Médicis (1519-1589),
duchesse d'Urbino,
reine de France
(1547-1559),
fille de Laurent II
de Médicis, duc d'Urbino,
et de Madeleine
de la Tour d'Auvergne

**Madeleine
(1520-1537)**
reine d'Écosse
(1537)
en 1537
Jacques V Stuart
(1512-1542),
roi d'Écosse
(1513-1542), fils
de Jacques IV
Stuart,
roi d'Écosse,
et de Marguerite
d'Angleterre

**Charles
(1522-1545)**
duc d'An-
goulême, puis
duc d'Orléans
(1536-1545)

**Marguerite
(1523-1574)**
duchesse
de Savoie
(1559-1574)
en 1559
Emmanuel-
Philibert (1528-
1580), duc de
Savoie (1553-
1580), fils de
Charles III,
duc de Savoie

	POLITIQUE, SOCIÉTÉ, RELIGION	GUERRES ET DIPLOMATIE	LETTRES ET ARTS	AU MÊME MOMENT
1494	• Naissance de François d'Angoulême, futur François Ier	• Début des guerres d'Italie. Entrée de Charles VIII en Italie	• Naissance (probable) de François Rabelais	• Traité de Tordesillas : partage du Nouveau Monde entre Espagne et Portugal • 2e voyage de Christophe Colomb
1495	• Assemblée à Tours d'une commission pour la réforme du clergé	• Entrée de Charles VIII à Naples • Constitution de la Sainte Ligue contre les Français		
1496	• Mort de Charles d'Angoulême, père de François Ier	• Évacuation du royaume de Naples	• Naissance (probable) de Clément Marot	
1497	• Création du Grand Conseil			• Excommunication de Savonarole à Florence • Expédition du Portugais Vasco de Gama vers les Indes
1498	• Mort de Charles VIII. Avènement de Louis XII		• Réforme des études universitaires • 1498-1503 : construction de l'aile Louis XII du château de Blois	• Mort de Savonarole • Vasco de Gama à Calicut (Inde)
1499	• Mariage de Louis XII et d'Anne de Bretagne • Ordonnance sur les parlements	• Alliance de Louis XII avec Venise et Florence • Conquête de Milan et de Gênes	• L. de Vinci : La Cène • Lefèvre d'Étaples : Ars Moralis	• 3e voyage de Christophe Colomb en Amérique
1500			• Michel-Ange : Pietà de Saint-Pierre	• Naissance de Charles de Habsbourg, futur Charles Quint • Le Portugais Cabral découvre le Brésil
1501		• Conquête de Naples par les Français et les Aragonais		• Premier envoi d'esclaves noirs en Amérique
1502		• Rupture entre la France et l'Aragon		• 2e voyage de Vasco de Gama en Inde
1503			• Michel-Ange : David • L. de Vinci : La Joconde	• Albuquerque fonde l'Empire portugais des Indes
1504	• Procès du maréchal de Gié	• Les Français, chassés de Naples par Ferdinand II d'Aragon • Traité de Blois prévoyant le mariage de Claude de France et de Charles de Habsbourg		• Mort d'Isabelle la Catholique, reine de Castille. Sa fille Jeanne la Folle et son gendre Philippe le Beau lui succèdent
1505	• Ordonnance sur les coutumes • Crise de subsistances		• Raphaël : La Madone du Grand-Duc	
1506	• Assemblée des notables à Tours : fiançailles de Claude de France et de François d'Angoulême			• Mort de Philippe le Beau. Son fils Charles de Habsbourg lui succède aux Pays-Bas, son beau-père Ferdinand d'Aragon est régent de Castille
1507		• Expédition de Louis XII contre Gênes		
1508	• Lefèvre d'Étaples : le Psautier Quintuple	• Ligue de Cambrai : le pape Jules II, Louis XII, l'empereur Maximilien et Ferdinand d'Aragon contre Venise	• 1508-1512 : Michel-Ange peint le plafond de la Chapelle Sixtine • Érasme : Adages	
1509	• Ordonnance sur les coutumes • Marguerite d'Angoulême épouse Charles, duc d'Alençon	• Bataille d'Agnadel : victoire de Louis XII sur les Vénitiens	• 1509-1512, Raphaël : les Chambres du Vatican • Naissance du chirurgien Ambroise Paré	• Mort d'Henri VII d'Angleterre. Avènement de son fils Henri VIII
1510	• Réunion des évêques à Tours			
1511		• Jules II forme une Sainte Ligue contre la présence française en Italie	• Érasme : Éloge de la folie	
1512		• Bataille de Ravenne : les Français perdent l'Italie		• Occupation de la Navarre méridionale par Ferdinand d'Aragon

POLITIQUE, SOCIÉTÉ, RELIGION	GUERRES ET DIPLOMATIE	LETTRES ET ARTS	AU MÊME MOMENT	
	• Bataille de Guinegatte : défaite des Français par les Anglo-Impériaux			1513
• Mort de la reine Anne de Bretagne. Remariage de Louis XII avec Marie d'Angleterre	• Traité de paix entre Louis XII et Henri VIII d'Angleterre	• Raphaël succède à Bramante comme architecte de Saint-Pierre de Rome		1514
• Mort de Louis XII. Avènement de François Ier • Antoine Duprat, chancelier ; Charles de Bourbon, connétable	• Bataille de Marignan : victoire de François Ier sur les Suisses • Conquête du Milanais • Rencontre de Bologne entre François Ier et le pape Léon X	• Érasme : *Institution du prince chrétien* • Guillaume Budé : *De Asse* • Construction de Chenonceau • Construction de l'aile François Ier du château de Blois		1515
• Concordat de Bologne avec le pape: il règle les relations de la France et du Saint-Siège	• Paix perpétuelle de Fribourg avec les cantons suisses • Paix de Noyon avec Charles de Habsbourg, roi d'Espagne	• Machiavel : *Le Prince* • Thomas More : *L'Utopie* • L'Arioste : *Orlando furioso* • Léonard de Vinci en France	• Mort de Ferdinand II d'Aragon. Charles de Habsbourg devient roi d'Espagne	1516
• Guillaume de Bonnivet, amiral de France • Opposition du parlement de Paris et de l'Université au concordat de Bologne	• Traité de Cambrai avec Charles de Habsbourg et l'empereur Maximilien : assistance mutuelle entre la France, l'Espagne et l'Empire		• Publication des 95 *Thèses* de Luther contre les Indulgences	1517
• Enregistrement forcé du concordat par le parlement • Naissance du dauphin François, premier fils du roi	• Mort de l'empereur Maximilien • Élection de Charles de Habsbourg (Charles Quint) au trône impérial, contre François Ier	• 1518-1529 : construction du château d'Azay-le-Rideau	• Condamnation de Luther par le pape Léon X	1518
• Naissance d'Henri (futur Henri II), deuxième fils du roi		• Mort de Léonard de Vinci • 1519-1540 : construction du château de Chambord	• Débarquement de Cortés au Mexique	1519
	• Camp du Drap d'Or entre François Ier et Henri VIII	• Guillaume Budé : *De contemptu*	• Luther publie les trois traités réformateurs • Révolte des Aztèques contre Cortés (*Noche Triste*). • Conquête de l'empire aztèque (1520-1521) par Cortés • Départ du tour du monde de Magellan • Avènement de Soliman le Magnifique en Turquie	1520
• Mort de Suzanne de Bourbon, épouse du connétable Charles de Bourbon • Condamnation des idées luthériennes par la Sorbonne • Marguerite d'Angoulême protège les réformateurs du cercle de Meaux	• Début de la guerre entre Charles Quint et François Ier • Échec français en Navarre • Alliance d'Henri VIII et du pape Clément VII avec Charles Quint • Perte du Milanais par les Français		• Diète de Worms : Luther excommunié et mis au ban de l'Empire • Mort du pape Léon X	1521
• Réforme de l'administration financière : création des rentes publiques (sur l'Hôtel de Ville) • Naissance de Charles, troisième fils du roi • Procès de la succession de Bourbon • Crise de subsistances	• Bataille de La Bicoque : perte définitive du Milanais			1522
• Premier procès de l'imprimeur Louis Berquin	• Charles de Bourbon passe au service de Charles Quint		• Réforme de Zurich, par Zwingli • Luther : *De l'Autorité temporelle*	1523
• Mort de la reine Claude de France • Départ de François Ier pour l'Italie : régence de sa mère Louise de Savoie	• Invasion de la Provence par les Impériaux de Charles de Bourbon : échec devant Marseille • Campagne de François Ier en Italie ; siège de Pavie	• Naissance de Pierre de Ronsard • Rupture entre Érasme et Luther	• Guerre des paysans en Allemagne (1524-1525)	1524

151

	POLITIQUE, SOCIÉTÉ, RELIGION	GUERRES ET DIPLOMATIE	LES LETTRES ET LES ARTS	AU MÊME MOMENT
1525	• Conflit entre Louise de Savoie et le Parlement • Poursuites de la Sorbonne et du Parlement contre les luthériens et le groupe de Meaux	• Bataille de Pavie : François Ier prisonnier (en Italie, puis en Espagne) • Traité de More : paix entre la France et l'Angleterre		• Luther : *Exhortation à la paix*
1526	• Deuxième procès de Louis Berquin • Retour du roi en France	• Traité de Madrid entre François Ier et Charles Quint • Ligue de Cognac contre Charles Quint, autour de la France	• Ignace de Loyola : *Exercices spirituels*	• Organisation de l'Église luthérienne • Fondation de l'ordre des Capucins • Bataille de Mohács : la Hongrie passe sous le contrôle des Turcs
1527	• Mort de Charles de Bourbon • Procès et exécution du financier Semblançay. Poursuites contre les officiers de finances • Lit de justice : le Parlement est mis au pas • Mort du secrétaire Florimond Robertet	• Sac de Rome par les Impériaux. Mort du connétable de Bourbon • Traité d'Amiens entre François Ier et Henri VIII • Intervention française en Milanais	• Date probable du grand *Portrait de François Ier*, par Jean Clouet • Début des travaux de transformation de Fontainebleau	• Réforme en Suède et au Danemark
1528	• Crise de subsistances • François Ier installe la Cour en Île-de-France	• François Ier et Henri VIII déclarent la guerre à Charles Quint • Intervention française dans le royaume de Naples : échec et évacuation • Gênes passe dans le camp impérial	• Début de la construction du château de Madrid à Boulogne	• Réforme à Berne
1529	• « Grande Rebeyne » de Lyon : révolte populaire contre la hausse des prix • Troisième procès et exécution de Louis Berquin	• Échec français en Milanais • Paix de Cambrai, dite « des dames » : fin de la seconde guerre contre Charles Quint	• Guillaume Budé : *Commentarii linguae graecae*	• Réforme à Bâle et Mulhouse • Le luthéranisme devient religion d'Etat en Suède • Siège de Vienne par les Turcs • Premier voyage des marins français aux Indes orientales
1530	• Libération des fils de François Ier, prisonniers depuis 1526 • Mariage de François Ier avec Éléonore de Habsbourg, sœur de Charles Quint	• Couronnement impérial de Charles Quint à Bologne	• Fondation du collège des lecteurs royaux • Marguerite de Navarre : *Miroir de l'âme pécheresse*	• Diète d'Augsbourg : rupture entre catholiques et protestants. • La Confession d'Augsbourg donne un corps de doctrine unifiée aux luthériens
1531	• Mort de Louise de Savoie • Début du grand tour de France • Fondation de l'Aumône générale pour l'assistance publique à Lyon • Crise de subsistances	• Formation de la Ligue protestante de Smalkalde ; rapprochement des luthériens allemands avec la France	• Clément Marot : *Adolescence clémentine*	• L'Espagnol Pizarre se lance à la conquête de l'empire Inca
1532	• Réunion du duché de Bretagne à la France par le traité de Vannes		• Début de la construction de l'église Saint-Eustache à Paris • Rabelais : *Pantagruel*	• Offensive turque en Europe centrale
1533	• Mariage d'Henri d'Orléans avec Catherine de Médicis • Adhésion de Calvin à la Réforme • Discours du recteur Cop pour la rentrée universitaire ; attaques contre Marguerite d'Angoulême ; exil de Noël Béda, syndic de la Sorbonne	• Entrevue de Marseille entre François Ier et le pape Clément VII	• Fondation du collège de Guyenne à Bordeaux • Naissance de Michel de Montaigne • Début de la construction de l'Hôtel de Ville de Paris	• Divorce d'Henry VIII avec Catherine d'Aragon et remariage avec Anne Boleyn • Pizarre fait exécuter l'Inca Atahualpa
1534	• Affaire des Placards • Création d'une Chambre ardente contre les réformés • Ignace de Loyola prononce ses vœux à Montmartre	• Ambassade turque en France • 1re expédition de Cartier au Canada	• Rabelais : *Gargantua*	• Mort du pape Clément VII. Avènement de Paul III • Acte de suprématie : rupture avec Rome, Henri VIII devient chef de l'Église d'Angleterre
1535	• Mort du chancelier Duprat • Édit de Coucy : les procédures contre les réformés sont suspendues à condition qu'ils reviennent à la foi catholique	• 2e expédition de Cartier au Canada • Mort de François Sforza, duc de Milan ; occupation du duché par les Impériaux • Ambassade française en Turquie		• Réforme à Genève • Expédition de Charles Quint contre les Barbaresques de Tunis

Politique, société, religion	Guerres et diplomatie	Les lettres et les arts	Au même moment	
• Mort du dauphin François. Henri (futur Henri II) devient dauphin • Débuts de l'industrie de la soie à Lyon • Édit de Crémieu sur les pouvoirs des baillis et sénéchaux • Calvin : *Institutio religionis christianae*	• Traité de commerce franco-turc • Occupation de la Savoie et du Piémont par les Français. Guerre contre Charles Quint • Invasion de la Provence par les Impériaux • Entrée des Impériaux en Picardie	• Robert Estienne : *Thesaurus linguae latinae* • Dolet : *Commentarii linguae latinae* • Michel-Ange : *le Jugement dernier* • Mort d'Érasme		1536
• Mariage de Madeleine, fille du roi, avec Jacques V d'Écosse	• Trêve de Monzon entre François Ier et Charles Quint	• Bonaventure Des Périers : *Cymbalum mundi*		1537
• Montmorency devient connétable • Reprise de la répression contre les réformés	• Trêve de Nice, négociée par le pape Paul III • Entrevue d'Aigues-Mortes entre Charles Quint et François Ier • Mort du duc de Gueldre, allié de la France	• *Portrait de François Ier*, par le Titien • Construction du château d'Écouen pour Montmorency (1538-1550)	• Excommunication d'Henri VIII d'Angleterre par le pape	1538
• Ordonnance de Villers-Cotterêts sur la justice (le français, langue des actes officiels) • Grève des imprimeurs à Lyon (le « Grand Tric ») et à Paris • Édit de Paris contre les hérétiques : les tribunaux laïcs chargés de la répression	• Voyage de Charles Quint en France (1539-1540)	Construction du château neuf de Saint-Germain-en-Laye (1539-1547)	• Révolte de Gand contre Charles Quint	1539
• Édit de Fontainebleau pour la répression de l'hérésie protestante	• Charles Quint à Paris	• Séjour en France de l'orfèvre et sculpteur Benvenuto Cellini (1540-1544)	• Paul III approuve la fondation de la compagnie de Jésus par Ignace de Loyola	1540
• Procès de l'amiral Chabot • Disgrâce du connétable de Montmorency • Publication de la traduction de *Psaumes* par Marot et l'*Institution de la religion chrétienne* par Calvin	• Assassinat de Rincon, ambassadeur français auprès du sultan Soliman		• Bataille de Buda : victoire de Soliman le Magnifique. Les Turcs aux portes de Vienne	1541
• Retour en grâce de l'amiral Chabot • Arrestation du chancelier Poyet • Révolte de La Rochelle • Création des recettes générales des finances	• Reprise de la guerre entre François Ier et Charles Quint • Échec des Français devant Perpignan		• Création de l'Inquisition romaine par Paul III	1542
• Déclaration de la Sorbonne sur les vérités de la foi • Mort de l'amiral Chabot	• Alliance entre Henri VIII et Charles Quint • Siège de Nice par les flottes française et turque. Hivernage de la flotte turque à Toulon • Charles Quint annexe le duché de Gueldre	• Mort de Copernic. Publication de son *De revolutionibus orbium cælestium*		1543
• Naissance de François (II), premier fils du dauphin Henri et de Catherine de Médicis • Claude d'Annebault est nommé amiral de France	• Campagne française en Piémont : victoire de Cérisoles • Invasion de la Champagne et de la Picardie par les Impériaux, du Boulonnais par les Anglais • Traité de Crépy en Laonnois entre François Ier et Charles Quint	• Début du jubé de Saint-Germain l'Auxerrois, par Jean Goujon et Pierre Lescot • Maurice Scève : *Délie*		1544
• Massacre des Vaudois du Lubéron • Mort de Charles d'Orléans, troisième fils du roi	• Tentative de débarquement français en Angleterre	• Rabelais : *Tiers Livre*	• Ouverture du concile de Trente pour la réforme de l'Église	1545
• Exécution d'Étienne Dolet, accusé d'athéisme • Condamnation des réformateurs du cercle de Meaux	Traité d'Ardres : paix entre Henri VIII et François Ier	• Début de la reconstruction du Louvre par Pierre Lescot	• Création de deux archevêchés en Amérique espagnole	1546
• Mort de François Ier. Avènement de son fils Henri II	• Mort d'Henri VIII d'Angleterre. Son fils Édouard VI lui succède		• Transfert à Bologne du concile de Trente • Règne personnel d'Ivan le Terrible, tsar de Russie	1547

INDEX

Les chiffres en *italique* indiquent que le sujet est illustré.
Les chiffres en **gras** indiquent que le sujet est mentionné dans un encadré.

CRÉDITS ICONOGRAPHIQUES

(Abréviations et sigles : b. : bas ; h. : haut ; d. : droite ; g. : gauche ; m. : milieu. B.N.F. : Bibliothèque nationale de France, Paris. R.M.N. : Réunion des musées nationaux, Paris.)

6/7/8 : AKG (fond). **6** : AKG (h), Jean Vigne (b). **7** : B.N.F. (h), Josse (m), Tallandier (b). **8** : Josse (h), Jean Vigne (b). **9** : R.M.N. (bm), Tallandier (h, hm, hg), Josse (bd), B.N.F. (hd), Giraudon (bg). **10** : R.M.N. (hg, hd, md, mdd, bd), Edimedia (hm), Jean Vigne (mgg), Giraudon (mg), B.N.F. (bg). **11** : AKG (hgg, hdd), Giraudon (hg), Dagli Orti (hd), Scala (bg, bm), Roger-Viollet (hd). **12/13** : AKG. **13** : Serge Chirol. **14** : R.M.N. (hg). **15** : J. P. Pairault/Sélection (hg), R.M.N. (hd). **16** : R.M.N. (hg), AKG (hd). **17** : AKG (bg), Artephot/Oronoz (bd), Tallandier (hd). **18** : J. L. Charmet (bg), R.M.N. (m). **19** : Josse (hg, bg), Giraudon (bd), AKG (hd). **20** : Giraudon. **21** : Serge Chirol (hg), R.M.N. (hm), Giraudon (hd). **22** : Josse (hg), AKG (23). **23** : Giraudon. **24** : R.M.N. (bg, hd), Serge Chirol (bm). **25** : R.M.N. (bg, bd), Serge Chirol (hd). **26** : B.N.F. **26/27** : Serge Chirol. **27** : R.M.N. **28/29** : AKG. **29** : Jean Vigne. **30** : B.N.F. (hg), Scope/J. L. Barde (hd). **31** : B.N.F. (hg), Tallandier (hd). **32** : Scope/M. Gotin (hg), Bulloz (hd). **33** : Josse (hg), Giraudon (hd). **34** : R.M.N. (hg), AKG (bd). **35** : Bulloz (bg), Roger-Viollet (hm), R.M.N. (hd). **36** : Giraudon. **37** : Edimedia (hg), R.M.N. (hd). **38** : B.N.F. **39** : Giraudon. **40** : B.N.F. (bg), B.N.F./Archives Sélection (bd), R.M.N. (hd). **41** : Bulloz (hg), Jean Vigne (hd, bd). **42** : R.M.N. (hg), Jean Vigne (hd). **43** : B.N.F. (hg), Tallandier (hd). **44** : Giraudon (hg), Tallandier (md). **45** : Giraudon. **46/47** : B.N.F. **47** : B.N.F. **48** : Artephot (hg), Tallandier (hm), Josse (hd). **49** : B.N.F. (hg), Giraudon-Bridgeman (hd). **50** : Artephot-ADPC (hg), Jean Vigne (hd). **51** : B.N.F. (hg, hm), Giraudon (bm), R.M.N. (hd). **52** : Giraudon. **53** : Giraudon. **54** : Serge Chirol (hg), Tallandier (hd). **55** : Serge Chirol (hg), B.N.F. (hd). **56** : Giraudon (hg, hd), Bridgeman (hm). **57** : R.M.N. (bg), Giraudon (mb), AKG (hd). **58** : Giraudon-Alinari (hg), Catherine Bibollet (hd). **59** : Serge Chirol (hg), R.M.N. (hd). **60** : Scala (hg, mg), Bridgeman (bd). **61** : D.R. (hd), R.M.N. (bd), Bridgeman (hg), Scala (bd). **62** : R.M.N. **63** : Giraudon. **64** : Bulloz (mg), Scala (hd). **65** : Giraudon (bg), Edimedia (hd), Roger-Viollet (bd). **66** : Tallandier (hg), B.M. Rouen, Tragin/Lancien (hd). **67** : Giraudon-Alinari (hg), B.N.F. (hd). **68/69** : Bulloz. **69** : Jean Vigne. **70** : Edimedia (hg), Giraudon (hd). **71** : Giraudon (hg), Tallandier (hd). **72** : R.M.N. (mg), Giraudon (hm, hd). **73** : Giraudon (md), Artephot (bm). Archives Snark (hm) **74** : R.M.N. **76** : Catherine Bibollet. **77** : J. P. Pairault/Sélection (hg), R.M.N. (hd). **78** : Josse (hg), Catherine Bibollet (hd). **79** : Serge Chirol (hm), J. P. Pairault/Sélection (hm), R.M.N. (hd). **80** : R.M.N. (mg), Photothèque des Musées de la Ville de Paris (bd), R.M.N. (bg). **81** : R.M.N. (hm, hd), Photothèque des Musées de la Ville de Paris (bg), Scala (bd). **82** : AKG (hg), Giraudon (hm, hd). **83** : Josse. **84** : R.M.N. **85** : R.M.N. (hg), AKG (bd). **86/87** : AKG. **87** : Tallandier **88** : Edimedia (hg), Giraudon (hd). **89** : Edimedia (hg), Giraudon (hd). **90** : Bulloz (hg), Artephot (hd). **91** : Giraudon. **92** : Giraudon (hg), Scala (hd), R.M.N. (bd). **93** : R.M.N. (h, bg), Artephot/Nimatallah (bd). **94** : Tallandier (hg), Roger-Viollet (hd). **95** : Bulloz (hm), Giraudon (hd). **96** : Tallandier (hg), Giraudon (hd). **97** : J. P. Pairault/Sélection (hg), D.R. (m), Giraudon (hd). **98** : R.M.N. (hg), Giraudon (hd), Edimedia (bd). **99** : J. L. Charmet (bg, m), Tallandier (hd). **100** : Giraudon (hg, m), Josse (hd). **101** : Giraudon. **102** : Bulloz (hg), Jean Vigne (hd). **103** : AKG (hg), Bridgeman (hd). **104** : Giraudon. **105** : Giraudon. **106** : Edimedia (bg), Tallandier (hd), B.N.F. (bd). **107** : R.M.N. (h), Diaf (md, bd). **108** : Josse (hg), Tallandier (hd). **109** : Josse. **110/111** : Roger-Viollet. **111** : R.M.N. **112** : R.M.N. (hg), Giraudon (hd). **113** : R.M.N. (hg), Scala (hd). **114** : R.M.N. (hg), Josse (hd). **115** : R.M.N. (hg), J. L. Charmet (m), B.N.F. (hd). **116** : Serge Chirol (m), R.M.N. (bg). **117** : Serge Chirol (bg), R.M.N. (hg, bd). **118** : Giraudon. **119** : Bulloz (hg), Roger Viollet (m), Scope/J. Guillard (hd). **120** : Roger Viollet (hg), Giraudon (hd). **121** : Giraudon. **122** : AKG (bg), Giraudon (md, bd). **123** : Edimedia. **124** : Giraudon (hg, hd), R.M.N. (m). **125** : Roger Viollet. **126** : AKG. **127** : Roger Viollet (bg), Giraudon (m), Artephot/Oronoz (md). **128** : J. L. Charmet (hg), Giraudon (hd). **129** : Roger Viollet (hg), Giraudon (hd). **130/131** : Tallandier. **131** : Jean Vigne. **132** : Giraudon (hg), Bridgeman (hd). **133** : Giraudon. **134** : AKG (hg), J. L. Charmet (hd). **135** : Jean Vigne. **136** : Scope/D. Gorgeon (hg), Roger Viollet (m), Giraudon (hd). **137** : Artephot/ADPC (bg), AKG (m), Giraudon (bd). **138** : Photothèque des Musées de la Ville de Paris (hd), Roger Viollet (b). **139** : Commission du Vieux Paris/M. Paturange (hg), Giraudon (bd), R.M.N. (hd). **140** : R.M.N. (hg), Bulloz (hd). **141** : Giraudon. **142** : Josse (hg), Jean Vigne (hd). **143** : Giraudon. **144** : J. P. Pairault/Sélection (hg, b), Serge Chirol (hd). **145** : Serge Chirol (hg, md), Catherine Bibollet (bg). **146** : Giraudon. **147** : Josse (hg), Giraudon (hd).

Imprimerie Canale, Turin
Dépôt légal : novembre 1999
Achevé d'imprimer : novembre 1999
N° d'éditeur : 2858
Imprimé en Italie - *Printed in Italy*